29.90

Abilio Diniz

Caminhos e Escolhas

Abilio Diniz

Caminhos e Escolhas

O equilíbrio para uma vida mais feliz

9ª edição

ELSEVIER

EDITORA CAMPUS

Projeto Gráfico e Capa : Silvia Ribeiro
Editoração Eletrônica : Estúdio Silvia Ribeiro
Assistente de Design : Nicole Boehringer

Copidesque
Silvia Sampaio Ribeiro

Fotos das Aberturas de Capítulos e Capa
Limiar Produções Artísticas

Ilustrações
Adriana Alves

Revisão Gráfica
Renato Potenza Rodrigues

Pré-impressão
Photostop Imaging

Elsevier Editora Ltda.
A Qualidade da Informação.
Rua Sete de Setembro, 111 - 16º andar
20050-006 Rio de Janeiro RJ Brasil
Telefone: (21) 3970-9300 FAX: (21) 2507-1991
E-mail: *info@elsevier.com.br*
Escritório São Paulo:
Rua Elvira Ferraz, 198
04552-040 Vila Olímpia São Paulo SP
Tel.: (11) 3841-8555

ISBN: 85-352-1431-3

CIP-Brasil. Catalogação-na-fonte.
Sindicato Nacional dos Editores de Livros, RJ

D61a
Diniz, Abilio
Abilio Diniz, caminhos e escolhas : o equilíbrio para uma vida mais feliz / Abilio Diniz. Rio de Janeiro : Elsevier, 2004 - 9ª reimpressão

ISBN 85-352-1431-3

1. Diniz, Abilio. 2. Empresários - Brasil. 3. Autoconsciência. 4. Mudança (Psicologia). I. Título.

04-0826. CDD - 926.58
CDU - 929DINIZ, A.

04 05 06 07 08 13 12 11 10 9

Quero agradecer a dois amigos que muito me ensinaram sobre medicina e sobre a vida. Sem eles não seria possível todo o conhecimento que me tem permitido ajudar tantas pessoas:
Bernardino Tranchesi Junior e Gilberto Camanho

A outro amigo, **Miguel Srougi,** *também médico, que vem me ensinando conceitos novos e valiosos.*
Muito obrigado

Quero agradecer, também, à equipe técnica do PA Club, que ajudou a construir capítulos deste livro, meus amigos:
Antonio Herbert Lancha Junior, Rogério Neves, Paulo Storti e Marcos Paulo Reis

Este livro foi escrito com a colaboração dos jornalistas **Mariella Lazaretti e Ricardo Galuppo**

Sumário

Meu Caminho

Alguém deve estar perguntando: "Por que será que o Abilio resolveu escrever um livro?" Outro deve estar respondendo: "Porque já teve filhos, já plantou uma árvore e agora..." Ainda outro: "Esse cara! Tem tudo o que quer na vida, mas resolveu ser também escritor!"

Não sei se será tão fácil entender as coisas simples e acreditar na sinceridade. Mas há muito tempo tenho essa idéia do livro na cabeça. Quando olho para trás e analiso a minha vida, acho que ela pode ter sido tudo, menos normal e monótona.

Por várias circunstâncias, minha vida tem sido pública e do conhecimento das pessoas, o que permite a todos formarem um conceito sobre mim. A imagem preponderante é a de um sujeito vencedor, que conseguiu tudo o que quis. Certamente as pessoas se recordam de alguns problemas que tive, como o seqüestro, um "racha" na família por problemas de comando no Pão de Açúcar e o quase desaparecimento da empresa. Acho que não corro nenhum risco ao dizer que essa é a imagem que as pessoas têm de mim. Isso é o que aparece na superfície.

Alguns valorizam o meu lado esportista, o empresário bem-sucedido que se preocupa com as pessoas. Outros, porém, antipatizam com a figura forte, mas arrogante e prepotente, que realmente fui durante a maior parte da minha vida. Fala-se muito sobre mim, mas na realidade poucos me conhecem.

A superfície mostra muito pouco do que sou. Sob esse ponto de vista é possível enxergar alguns dos obstáculos que tive de superar, mas não a sua profundidade. De fato, os episódios mais traumáticos tornaram-se públicos. Acho que isso não surpreende ninguém. O que as pessoas não sabem é que não seria possível superá-los, a não ser que uma força maior assim o determinasse. Essa é a minha interpretação e a minha crença. Deus, ao permitir que esses fatos ocorressem, deu-me forças e mostrou-me o caminho para que eu os vencesse. Acredito nisso de forma racional e emocional. É uma crença que vem da alma.

"Quando olho para trás e analiso a minha vida, acho que ela pode ter sido tudo, menos normal e monótona."

Tenho tido sucesso. Claro que sim. Mas meu caminho foi repleto de dificuldades e o êxito só foi alcançado com determinação e disciplina. Não me queixo. Tenho certeza de que o crescimento do ser humano é muito maior no sofrimento do que na felicidade. Fui privilegiado e protegido e sou por isso imensamente grato a Deus. Busco sempre coisas para expressar minha gratidão, procurando auxiliar de muitas formas pessoas menos favorecidas. Além disso, tudo pelo que passei resultou em lições e mudanças para melhor.

Se eu puder contar isso para muitas pessoas, de uma forma simples, ordenada e verdadeira, se puderem compreender de onde as dificuldades surgiram e como foram superadas e se ainda, com esse entendimento, puderem evitar sofrimentos e ser mais felizes, terei atingido meu objetivo.

Essa é a principal razão para eu escrever um livro, mas não é a única.

Os fatos mais violentos da minha vida ocorreram no mesmo período. Os problemas familiares duraram muito tempo: toda a década de 80 e o início dos anos 90. O acordo definitivo que separou família e empresa, no qual eu adquiri o controle da companhia, só foi assinado em janeiro de 1994. O seqüestro ocorreu em dezembro de 1989 e a agonia do Pão de Açúcar, no ano de 1990. O sofrimento que esses três acontecimentos me trouxeram foi imenso. Principalmente em seu período mais crítico, entre o fim de 1989 e o de 1992.

A dor e a tristeza foram enormes. Ao mexer muito com toda a minha estrutura emocional, tudo isso acabou por provocar uma mudança muito grande. Eu mudei. Mudei muito e sei que para melhor.

As transformações não ocorreram todas ao mesmo tempo. O que aconteceu, de repente, foi a abertura, a descoberta da oportunidade para mudar. Mais que isso, surgiu a vontade de experimentar um novo caminho. A mais significativa descoberta foi a de que a virtude está do outro lado. Está na bondade, na humildade, na tolerância, e não na força, na arrogância e na prepotência.

Sou um colecionador de frases. Umas são minhas. De outras, gosto tanto que as adotei. Muitas delas podem ser vistas nas paredes do Auditório e da Sala 1 de reuniões, na sede do Pão de Açúcar. Algumas são apenas palavras com forte significado. A que encabeça todas elas é humildade. Ela, hoje, faz parte da nossa cultura e é uma das forças que têm possibilitado o permanente crescimento da empresa. O Pão de Açúcar foi construído duas vezes e a sua reconstrução foi muito mais difícil do que a construção. O sucesso é envolvente e por isso jamais podemos perder a humildade.

Nessa fase de mudança passei a dedicar-me à observação daquilo que seria o mais importante na vida: ser feliz. Todos deveriam preocupar-se objetivamente em ser felizes. Por que não? Hoje tenho certeza de que a felicidade está em nós. Depende de nossa vontade e de nossas atitudes. Que atitudes?

Nesse processo, passei a observar e a estudar uma série de coisas extremamente importantes para quem busca uma vida melhor. Por exemplo, a técnica do esporte voltada não apenas para a competição, mas para uma melhor qualidade de vida. A nutrição, aliada ao esporte, à saúde e ao bem-estar. A administração do tempo e o estabelecimento de prioridades.

Após minha abertura para mudanças, dei muito mais espaço para o amor, para a espiritualidade e para a busca do autoconhecimento. Com isso, certamente me aproximei mais de Deus.

Com o tempo decidi que essas mudanças também mereciam ser contadas para outras pessoas. Até porque todas elas viriam acompanhadas de experiências positivas e certamente ajudariam mais gente a seguir a trilha da felicidade. Com isso claro, eu tinha mais um bom motivo para o livro.

Aí, surgiu um problema... O que eu pretendia escrever era uma biografia com foco no ponto mais marcante da minha vida: a relação entre a família e a empresa. Mas como tratar os problemas das empresas familiares no mesmo espaço dedicado a falar de esportes, *stress* e alimentação? Vi que não seria fácil.

Comecei a ouvir a opinião daqueles que entendem do assunto. Ouvi muita gente. Amigos, a quem agradeço os valiosos conhecimentos passados. Minhas idéias foram ficando mais claras. Decidi então escrever dois livros. A biografia fica para depois.

Os Passos da Mudança

"Não sabendo que era impossível, foi lá e fez."

A primeira sensação foi raiva – uma raiva profunda de mim mesmo. A frustração veio em seguida. Eu, que até aquele dia me considerava inatingível, não conseguia entender como me deixara dominar pelo bando. O fato é que havia sido seqüestrado e me encontrava, naquele instante, confinado num cubículo, isolado de tudo. O cativeiro tinha, no máximo, 1,70 metro de altura e pouco mais que isso de comprimento. A largura mal chegava a 1,40 metro. As paredes eram forradas com papel adesivo de cor creme. Havia um colchonete jogado no chão. O ar entrava por dois orifícios minúsculos, de no máximo uma polegada de diâmetro, abertos na parte superior da cela. Naquele buraco, eu estava isolado do mundo – sozinho como jamais estivera em toda a minha vida.

Você pode imaginar o quanto uma experiência como essa é traumática na vida de um ser humano. Comigo não foi diferente. O seqüestro durou exatos sete dias. Não foi dos mais longos, mas foi terrível. Eu tinha certeza de que iria morrer, só não sabia como. Poderia ser sufocado pela falta de ar. Ou poderia ser morto numa atitude insana, atacando o seqüestrador que em alguns momentos ficava trancado comigo dentro daquele caixão. Ninguém sai de uma situação maluca, tensa e perigosa como essa da mesma maneira que entrou. E eu posso dizer que, ao deixar o cativeiro, minha vida começou a se transformar. Aquela situação marcou o início de uma mudança que acabaria por me transformar – alguns anos e outros dramas depois – num homem completamente diferente do que eu havia sido até aquele mês de dezembro de 1989.

Como conseqüência daquele e de outros fatos que ajudaram a mudar meu olhar sobre a vida, passei a dar grande valor a situações que antes não pareciam ter muita importância para mim. Abri mão de hábitos que estavam totalmente entranhados na minha rotina – a ponto de se confundir com a minha própria forma de ser. Outros hábitos que eu sempre cultivei, como o de praticar esportes, foram mantidos e aperfeiçoados. E aprendi a tirar deles uma satisfação muito maior. Foi uma jornada de transformações, ao longo da qual aumentei muito o valor que dava à minha vida. E passei a considerar fundamental tudo aquilo que pudesse acrescentar mais qualidade aos meus dias.

Viver é aprender, diz o ditado. No meu caso, esse aprendizado me transformou num homem mais sereno, mais tranqüilo e mais humilde do que eu jamais havia sido até os meus 52 anos – e é justamente esse caminho que pretendo compartilhar aqui com você. Passei a olhar com mais atenção e carinho para as pessoas à minha volta e descobri que as atitudes simples podem produzir resultados surpreendentes. Aprendi a incluir e a priorizar na minha agenda compromissos que me dão prazer.

Tudo isso lhe parece banal? Pois é. Antes, eu também não dava importância para muitas das novas situações que passei a viver. Mas a verdade é que, até por serem simples demais, raramente damos o devido valor aos prazeres cotidianos. E dificilmente os incorporamos ao nosso dia-a-dia de forma consciente e sistemática. Em outras palavras, passei a ter tempo para atividades que considero importantes, mas que no passado muitas vezes foram relegadas ao segundo plano.

Pessoas que não me conhecem bem, e até mesmo algumas que convivem comigo, acreditam que o controle que adquiri sobre minha rotina só é possível devido à minha posição à frente de uma grande organização como o Pão de Açúcar. Conforme essa opinião, caso eu não fosse o líder de uma companhia tão importante e bem-sucedida, caso eu não tivesse autonomia para decidir o que deve ser feito primeiro e o que pode ser deixado para depois, jamais conseguiria levar a vida que levo nem encontrar tempo para fazer tudo o que eu gosto. Portanto, eu só posso controlar minha agenda da forma que controlo porque tenho dinheiro e poder. Isso me daria o direito de fazer o que eu quero da forma que bem entendo.

Dinheiro e poder, claro, são de grande utilidade para alguém que pretenda controlar a própria rotina e para uma série de outras coisas. Eu seria no mínimo demagogo se não reconhecesse a importância do papel que esses dois ingredientes desempenham no mundo. Mas posso afirmar, sem medo de ser acusado de cultivar falsa modéstia, que isso não dá a ninguém condições suficientes para uma vida de qualidade. Se o objetivo é esse, há outros dois fatores muito mais importantes. Se a pessoa, por mais rica e poderosa que seja, não tiver organização e disciplina, acabará fazendo muito pouco por si mesma. Para ter um cotidiano melhor, mais saudável e mais feliz, organização e disciplina são muito mais importantes.

Em resumo, a idéia básica é a seguinte: qualidade de vida é a busca permanente do equilíbrio entre os diversos papéis e atividades que desempenhamos dia após dia. Os papéis são o de pai, de marido, de trabalhador, de cidadão, de esportista e mais alguns outros. As atividades são o trabalho, o convívio com a família, o esporte, o lazer, o descanso, os compromissos sociais e assim por diante. Alcançar esse equilíbrio implica organizar os papéis e as atividades. Mais que qualquer benefício financeiro, qualidade de vida exige método. Ter método e disciplina pode, à primeira vista, parecer algo difícil de conseguir – mas, na minha opinião, isso, ou melhor, a falta disso é que impede a maior parte das pessoas de conquistar benefícios físicos e espirituais para si.

No início, algumas das decisões que levam à melhor qualidade de vida parecerão exigir de você um sacrifício enorme. Não é bem assim e você perceberá isso muito rapidamente. Portanto, o mais difícil é decidir dar o primeiro passo. Em pouco tempo, todos aprendemos como fazer e nossos dias se tornam mais fáceis e prazerosos. Ter a vida em equilíbrio e as rotinas sob controle é muito bom. O difícil é ter a agenda inteira livre, sem qualquer compromisso marcado, e não poder fazer absolutamente nada para alterar essa situação. Pois foi exatamente assim que me vi naquele dia, 11 de dezembro de 1989, depois de ser surpreendido pelo bando de seqüestradores.

Aquela segunda-feira começou exatamente como milhares de outras. Saí de casa pouco antes das 8 horas da manhã. Minha agenda não previa nada especial para a primeira metade do dia, apenas reuniões de rotina. A tarde deveria ser mais atribulada: haveria o lançamento do livro *Reforma econômica para o Brasil*, produzido pelo Departamento de Estudos Econômicos do Pão de Açúcar, sob minha coordenação. No início da noite, eu deveria estar em Brasília para a inauguração de uma loja do Pão de Açúcar na cidade satélite de Taguatinga. Seria, portanto, um dia cheio. Nada disso me preocupava quando saí de casa naquela manhã. Dias assim, naquela época, no final dos anos 80, eram absolutamente corriqueiros.

Dei a partida no meu carro e saí da garagem do edifício onde morava, na rua Tucumã, em São Paulo. Eu me mudara para aquele apartamento depois de me separar de minha primeira mulher, Auri, mãe de meus quatro filhos: Ana Maria, João Paulo, Adriana e Pedro

Paulo. Eu era muito auto-suficiente. Já naquela época meus pais e meus filhos jamais iam a parte alguma sem se fazer acompanhar por seguranças. Eu não precisava disso. Na minha própria visão, eu estava livre de encontros desagradáveis, como aquele que eu teria minutos depois de deixar minha casa. Dirigi por cerca de 400 metros e logo tive a impressão de que aquele dia não seria igual aos outros. Infelizmente, eu estava certo.

O que despertou minha atenção para o perigo foi a ambulância que atravessou o meu caminho e impediu que meu carro seguisse em frente. Numa fração de segundo, percebi que a atitude das pessoas a bordo não era amistosa e me preparei para reagir. Não senti uma ponta de medo: eu era extremamente confiante na minha força física e aquela não seria minha primeira briga de rua. Na adolescência, lutei boxe, judô e karatê. Estava em excelente forma física e me sentia totalmente pronto para reagir a qualquer agressão, viesse de onde viesse. Mais do que isso, andava armado, tinha porte e estava treinado para usar o revólver. Sempre trazia dentro do carro, ao alcance de minha mão direita, uma arma que deveria me proteger em situações de emergência. Aquela era a hora de usá-la. Os bandidos teriam de me enfrentar, e eu estava disposto a derrotar qualquer um que atravessasse o meu caminho.

Apanhei o revólver e me preparei para o confronto. Estava totalmente concentrado nos movimentos das pessoas na ambulância quando senti o impacto. Olhei pelo retrovisor e percebi que a traseira do carro havia sido atingida por um Opala, dirigido por uma mulher. Estava claro que aquilo não seria uma simples briga de trânsito: o bando era numeroso e, tudo me levava a crer, conhecia meus hábitos. Ainda assim, não passava por minha cabeça a possibilidade de levar a pior.

Um homem, vestido com uma farda igual à da Polícia Militar, se aproximou pelo lado esquerdo do carro. Enquanto eu prestava atenção nos seus movimentos, outro bandido entrou pela porta direita e conseguiu arrancar a arma da minha mão. Tentei dar a partida, mas foi inútil. Meu carro estava prensado entre o Opala e a ambulância. Avaliei que minhas chances seriam maiores do lado de fora. Abri a porta, desci e no mesmo instante me vi cercado por vários homens. Lutei enquanto pude, mas depois de alguns minutos me vi dominado. Fui jogado na traseira da ambulância.

Minhas mãos foram amarradas e minha cabeça foi coberta por um capuz. O carro começou a andar. Pouco tempo depois, fui transferido para o banco traseiro de um outro veículo, provavelmente um Opala, onde viajei deitado sobre o colo de três seqüestradores. Houve uma nova troca de veículo. Fui posto numa Kombi — o barulho é inconfundível — e nela cheguei na casa onde ficaria pelos sete dias seguintes. O cubículo em que me puseram era debaixo da terra. Havia uma luz forte, cujo interruptor ficava na parte externa, longe de meu controle. Havia também um alto-falante. Foi dele que, minutos depois de minha chegada, começou a sair aquele som insuportável!

Eram músicas sertanejas, tocadas em volume altíssimo, com letras que sempre se referiam à morte. Não sabia o que incomodava mais: se aquele barulho infame ou a sensação de falta de ar. A intenção dos seqüestradores parecia evidente, quebrar minha resistência mental e mostrar que o domínio da situação estava nas mãos deles. Fui orientado a me comunicar apenas por bilhetes, nas horas que eles autorizassem.

Eu, um homem habituado a dar ordens e a ser obedecido, percebi que o poder de tomar decisões sobre tudo o que me dizia respeito, inclusive sobre a possibilidade de eu continuar vivo, havia escapado de minhas mãos. Nem a intensidade da luz — que eles mantinham forte a maior parte do tempo — eu podia controlar. Muito menos o volume do som e aquelas músicas horrorosas. "Não vou tentar nenhuma loucura", disse num dos bilhetes que escrevi aos seqüestradores. "Sei que vocês têm o controle da situação. Sei quando estou vencido." Quem me conhecia naqueles dias é capaz de imaginar o quanto me custou escrever aquelas palavras. Para mim, foi absolutamente humilhante admitir para os bandidos que o poder sobre minha vida estava nas mãos deles.

O cativeiro forçou-me a um reencontro com todo o meu passado. Minha imagem pública sempre foi a do empresário de sucesso ou, nos anos 80, do homem de governo que não tinha medo de apontar o que havia de errado no país. Ou, então, a do atleta obstinado, que sempre perseguiu a vitória. Algumas pessoas tiveram a chance de conhecer meu lado briguento, um sujeito que se achava no direito de resolver no braço qualquer pendência de trânsito. De fato, fui tudo isso. Mas quem só me viu assim não tem a menor noção do garoto que eu era nos meus primeiros anos de vida.

Eu era baixinho e gorducho. Isso mesmo. Para espanto de muita gente que inveja os pouco mais de 6% de gordura da minha massa corporal, meu corpo tinha o formato de um barril. Eu era desajeitado e completamente inexpressivo. De qualquer forma, tinha uma vida tranqüila. Meu pai tinha uma padaria modesta na rua Tutóia, a poucos metros da avenida Brigadeiro Luís Antônio. Bem perto dali, na própria Tutóia, ficava a casa de nossa família. São Paulo, na primeira metade dos anos 40, era uma cidade acanhada perto da gigante em que se transformaria poucos anos depois. Fiz o curso primário no Externato Teixeira Branco, uma escola particular próxima à minha casa. Ali, ninguém me hostilizava, mas também não me dava atenção. Acho que, na verdade, ninguém olhava para mim.

1. Maratona de Nova York, 1995; 2. Partida de futebol no Canindé, Campo da Portuguesa de Desportos, em São Paulo; 3. Campeonato Brasileiro de Pólo, Avaré-SP; 4. Com o grupo de corredores do Pão de Açúcar, em Nova York; 5. Com Pedro Paulo na Fórmula Ford, no Rio de Janeiro; 6. Abilio e Geyze; 7. Partida de pólo; 8. Preparado para esquiar; 9. João Paulo, Ana Maria, Abilio, Adriana e Pedro Paulo; 10. Partida de pólo na Fazenda da Toca; 11. Com Pedro Paulo na Fórmula 1, em São Paulo.

A única razão que me conferia alguma notoriedade no meio da meninada naquele tempo era minha habilidade no futebol. Mesmo não tendo físico de atleta, eu tinha um desempenho razoável como goleiro. Um vizinho havia me presenteado com uma bola de capotão, artigo raro naquele tempo. Foi com ela que joguei algumas partidas memoráveis no campinho de terra batida da escola em que estudava e na calçada de minha casa. O gol era o espaço entre o poste de luz e a parede. E eu, mesmo distante do goleiro em que me transformaria dali a alguns anos, sabia defendê-lo muito bem. Gostava de saltar e de fazer defesas arrojadas. Aquilo me dava prazer e prestígio com a molecada.

Num dia de muita tristeza, minha bola acabou destruída por um carro que passava pela Tutóia justo na hora da pelada da meninada. Isso numa época em que praticamente não havia carros na rua. Mesmo assim, continuei tendo lugar nos times. O talento para o futebol foi fundamental para mim. Foi graças a essa habilidade que consegui atravessar a fase seguinte da minha vida — da qual me lembrei quando me vi sozinho no cativeiro.

Na época em que concluí o curso primário, meu pai havia vendido a padaria perto de casa e comprado outra, na rua Tamandaré, bairro da Liberdade. Perto dali existia um colégio chamado Anglo-Latino, no qual meu pai me matriculou para cursar o primeiro ano ginasial. Foi uma questão de conveniência. Bem cedo, meu pai me levava de casa para a escola e depois seguia para a padaria. A mudança de bairro transformou minha vida. Passei a viver num outro mundo, nada amistoso, agressivo e até mesmo violento. Muitos de meus novos colegas eram autênticos moleques de rua. Foi naquele "paraíso" que cheguei do jeito que eu era: baixinho, gordinho, filho único até os sete anos. Logo me transformei numa espécie de saco de pancadas da molecada. Eu era perseguido dentro e fora da sala de aula. Quis deixar os estudos, pedi que meus pais encontrassem um outro colégio para mim, procurei me esconder de meus colegas, enfim, tentei de tudo. Meus pais não permitiram que eu saísse da escola e meu calvário prosseguiu.

Não havia dia em que eu voltasse para casa sem ter levado algum tipo de pancada, sem ter sofrido algum tipo de humilhação. Aquilo me machucava muito mais a alma do que o corpo. Com o tempo, comecei a mostrar para aqueles garotos que eu, mesmo gordo e desajeitado, era um bom goleiro; e isso acabou me proporcionando uma certa tranqüilidade. Meu valor passou a ser reconhecido pela turma e adquiri um certo prestígio. Na hora de se formarem os times, passei a ser um dos primeiros a ser escolhido.

Com o tempo, gente mais nova do que eu se uniu ao grupo e, aos poucos, fui deixando de ser o alvo predileto da molecada. Mesmo assim, ainda me sentia indefeso. Afinal, jogávamos bola na Várzea do Glicério, lugar freqüentado por gente habituada a resolver pequenas pendências pela força. No começo, eu me sentia o pato no meio de uma porção de galos de briga. Por muito pouco, tinha gente me desafiando para a pancadaria, me encostando à parede, me ameaçando de todo jeito. O mais estranho é que, mesmo enfrentando esse tipo de dificuldades, eu não evitava a rua.

Depois de um certo tempo, a situação financeira de meu pai ficou um pouco mais tranqüila. Ele resolveu, então, levar a família para visitar os parentes em Portugal. Ficamos seis meses por lá. Aquilo me custou um ano inteiro de escola. Na volta, retornei ao bairro da Liberdade e, para meu suplício, ao mesmo colégio do qual havia saído. Mas eu já estava maior, um pouco mais seguro.

Com o tempo, meu pai autorizou-me a voltar para casa sozinho. Pegava o bonde na rua da Glória e seguia até a praça João Mendes. Caminhava até o largo São Francisco e tomava um ônibus que percorria toda a Brigadeiro Luís Antônio e me deixava perto de casa. Entre uma condução e outra, comecei a explorar o centro da cidade. Um dia, caminhava pelas proximidades da praça Clóvis, quando vi no Palacete Santa Helena, na rua Benjamin Constant, a placa da Academia Ono. Ali eram oferecidos cursos de judô, capoeira e karatê — uma técnica ainda pouco conhecida no Brasil. No mesmo prédio, ficava a Academia Zumbano, um dos principais centros de boxe do país. Foi ali que o campeão Éder Jofre começou a dominar a técnica que faria dele um dos maiores lutadores do mundo em todos os tempos. Percebi que poderia estar ali a solução para meus problemas. Na hora de escolher qual daquelas modalidades deveria praticar para deixar de ser um saco de pancadas, não tive dúvidas. Escolhi todas.

O começo foi suado. Mas logo me dei conta de que gostava de manter o corpo em movimento. Também comecei a me sentir bem mais relaxado depois das aulas. Após um certo tempo, emagreci e espichei. Além da preparação para a luta, passei a complementar o treinamento físico com aulas de musculação na Academia Atlas. Ficava na avenida Brigadeiro Luís Antônio, na sobreloja de um cinema chamado Arlequim. Não me lembro exatamente como, mas foi naquela época que tomei uma decisão: nunca mais voltaria a apanhar de ninguém. Jamais voltaria a me acanhar diante das ameaças que sofresse. Dali em diante, quem me ameaçasse receberia o troco.

Passei a ser respeitado na Várzea do Glicério. E no dia em que acertei as contas com um de meus algozes mais freqüentes, você pode imaginar o prazer que senti em revidar, após tanto tempo e tanto sofrimento. A única cena de que me lembro daquela briga foi do sangue que escorreu do nariz do meu adversário. Certo ou errado, naquela época eu acreditava que a força bruta, a disposição para a pancadaria e a noção de que o ataque não era apenas a melhor, mas a única defesa possível, me tornavam indestrutível. Abrir o caminho na base da cotovelada poderia ser – por que não? – um meio de me tornar um vencedor. Começou a nascer ali o Abilio que, anos mais tarde, sentiria uma enorme raiva de si mesmo quando se visse num cativeiro minúsculo, em poder daquele bando de seqüestradores.

Quando ia iniciar a quarta série do ginásio, aos 15 anos, me transferi para o Colégio Mackenzie e comecei a me destacar nos esportes. Do goleiro razoável dos tempos em que jogava na calçada em frente à minha casa, me transformei num arqueiro corajoso, do tipo que não tremia diante do ataque adversário. O tempo de saco de pancadas da molecada havia ficado definitivamente para trás e aquilo, com toda sinceridade, me enchia de orgulho.

É lógico que a história dessa primeira metamorfose – a transformação do filho do padeiro, do gorducho que apanhava de todo mundo, no sujeito forte, ágil e respeitado – envolve muito mais detalhes do que esse relato comporta. Aquilo foi cercado por uma série de decisões doídas, estimuladas por sensações nem sempre positivas. Mas, de qualquer maneira, o novo sujeito em que me transformei me fez conhecer algo que, para mim, era inteiramente novo: a auto-estima. Passei a me admirar e, mais do que isso, a me considerar indestrutível. Ao mesmo tempo, me tornei introspectivo e distante das pessoas. Cada vitória me tornava um pouco mais auto-suficiente.

Concluí o segundo grau e, em vez de prestar o vestibular para Economia no próprio Mackenzie, conforme havia planejado, optei por uma outra faculdade. Fui estudar na recém-criada Escola de Administração de Empresas da Fundação Getulio Vargas. Continuei me aplicando nos esportes. Creio que, durante o tempo em que estive lá, fui o único estudante da GV a conquistar uma medalha esportiva nos jogos universitários paulistas. Fui vice-campeão de levantamento de peso. Ao mesmo tempo, me encantei pela vida acadêmica e me tomei de admiração pelos professores americanos, todos ligados à Universidade de Michigan, que vieram para o Brasil nos primeiros anos da GV. Esforcei-me nos estudos e tracei meu próprio caminho. Decidi que, quando concluísse minha graduação, iria para os Estados Unidos, de onde voltaria Ph.D. em Economia. Eu me tornaria um intelectual, um professor — algo que, na minha cabeça, me daria o prestígio que me fora negado até ali.

Cheguei a fazer o *application* para a Universidade de Michigan e já estava com as malas prontas para embarcar quando meu pai me chamou para uma conversa séria. Alguns anos antes, ele havia vendido a padaria da rua Tamandaré e reunido boas economias como dono da Doceira Pão de Açúcar, na avenida Brigadeiro Luís Antônio. Primogênito, com quase sete anos de diferença para o segundo filho, Alcides, eu sempre ajudei meu pai nos negócios. Comecei muito cedo, ainda criança. Fazia tudo o que ele me pedia. Ou o que ele me mandava fazer. Não foram cem nem duzentas vezes que me vi com a mão na massa, preparando receitas de doces antes de ir para a aula.

Meu pai sempre teve uma sensibilidade especial para os negócios. Naquela época, final dos anos 50, ele estava interessado em ingressar num ramo de atividade que engatinhava em São Paulo: os supermercados. O fato é que, depois de convocado para a tal conversa séria, vi meu plano de viajar para os Estados Unidos adiado. Meu pai queria abrir a primeira loja do Supermercado Pão de Açúcar e me chamou para ajudá-lo. Peguei no batente.

Não sei o que teria sido da minha vida se eu tivesse insistido no sonho de me tornar um intelectual. O que eu posso afirmar é que nem por um momento me arrependi da escolha que fiz. Fiquei encantado com o novo negócio. Logo de início, percebi que minha vida havia tomado um rumo diferente e que seria muito difícil retomar o caminho que eu havia traçado inicialmente. Agora, eu era um homem do varejo.

A primeira loja, na Brigadeiro Luís Antônio, muito perto do lugar onde funcionava a doceira, deu certo desde o dia em que abriu as portas. Somente quatro anos depois viria a segunda, na vila Buarque, próxima ao Mackenzie. Veio a terceira, na praça Roosevelt, a quarta, a quinta e muitas outras. Quando nos demos conta, havíamos deixado para trás o Peg-Pag e o Sirva-se, as duas redes que já existiam em São Paulo na época em que o Pão de Açúcar veio ao mundo. Nós nos tornamos os maiores. Éramos respeitados como comerciantes. Havíamos chegado a um ponto que nem nós mesmos supúnhamos alcançar quando iniciamos aquela jornada.

O sucesso num ramo de negócios de extrema visibilidade e de muito prestígio, que tinha a cara de um país que se modernizava em ritmo acelerado, logo me conferiu notoriedade. Eu era e continuei a ser o braço-direito do meu pai. A companhia não parou de crescer desde a sua fundação e eu gostava cada vez mais daquilo que fazia. A viagem que deixei de fazer aos Estados Unidos logo depois de minha graduação acabou sendo realizada somente mais tarde.

Na época, já casado com Auri, e pai de dois filhos, embarquei para os Estados Unidos a convite de alguns de nossos fornecedores. Entrei no país pela Califórnia, levado por uma empresa americana que era a antiga fabricante do leite em pó Glória. Fiz estágio numa rede de varejo de lá. Depois, fui para a Universidade de Ohio, onde fiz um curso de *marketing* patrocinado pela National Cashier Register, a NCR, fabricante de caixas registradoras. A jornada terminou na Universidade de Columbia, em Nova York, onde fiz um curso de verão em Economia. Ao todo, foram seis meses fora do Brasil.

FINISH
KIA
X6397
CHASE
X2819
X674
X985

1. Campeonato Paulista de Triátlon, em Santos; 2. Maratona Pão de Açúcar de Revezamento; 3. No *jetski*, em Angra dos Reis; 4. Maratona de Nova York, 1995; 5. Com a família; 6. Rosana, Bernardino e Abilio; 7. Fazendo alongamento no Clube Pinheiros, em São Paulo; 8. Partida de pólo; 9. Com os filhos e netos; 10. No Central Park, em Nova York.

Tudo isso quer dizer o seguinte: a partir do momento em que eu decidi que nunca mais apanharia de ninguém, as coisas passaram a dar certo na minha vida de uma forma mais do que eloqüente. Não fazia idéia do que era o fracasso nem admitia a hipótese de que uma única derrota viesse bater à minha porta. Eu me tornei cada vez mais auto-suficiente e, daí para a arrogância, foi um passo. E essa arrogância se revelava nos menores detalhes. Na época, costumava dizer a meus amigos que nunca ligava a seta do meu carro porque não tinha de prestar contas a ninguém sobre o lado para o qual estava indo. Era assim que minha cabeça funcionava.

Além disso, continuava um esportista extremamente competitivo. Comecei a me interessar pelas provas de motonáutica no final dos anos 60 e cheguei a ter um barco de competição que alcançava 110 milhas náuticas por hora — uma velocidade espetacular para a época. Fui tricampeão brasileiro nos anos de 1968, 1969 e 1970. Depois, passei para o automobilismo e tive um bom desempenho nas pistas. Venci, em dupla com meu irmão Alcides, algumas corridas importantes. A principal delas, as Mil Milhas de Interlagos, em 1970. Fui vice-campeão brasileiro em 1971 — mas abandonei os carros de competição ao notar que eu vinha tirando da companhia o tempo que dedicava ao automobilismo. Não é possível ser profissional em duas atividades ao mesmo tempo. Preferi ser profissional no Pão de Açúcar.

A empresa crescia num ritmo acelerado e havia se tornado muito poderosa. A compra da Eletro Radiobrás, em 1976, colocou-nos em uma posição muito vantajosa no mercado. Entramos no ramo dos eletrodomésticos, que se expandira a passos largos na época do chamado "milagre brasileiro", o período do final dos anos 60 e início dos anos 70 em que a economia nacional bateu todos os recordes de crescimento. Aquilo fez de nós os líderes do varejo brasileiro.

A transação em torno da compra da Eletro Radiobrás, que conduzi com meu amigo Luiz Carlos Bresser Pereira, na época um dos executivos da empresa, foi feita por minha conta e risco. Meu pai, o acionista majoritário, só acreditou no negócio depois que estava tudo sacramentado. Naquela época, era assim que eu agia: todo meu talento e minha energia estavam a serviço do Pão de Açúcar. Era tão obstinado pela idéia de construir uma grande organização que nem mesmo prestei atenção aos problemas societários que começavam a se desenhar no horizonte. Essa atitude acabaria me custando caro.

O fato de eu haver dado o sangue pela empresa e de ter contribuído muito mais do que qualquer um de meus irmãos para a expansão do Pão de Açúcar não me conferia qualquer vantagem dentro da sociedade. Em 1978, meu pai resolveu dividir a companhia naquilo que eu chamava de "capitanias hereditárias" e deu uma delas a cada filho. Aquilo me desagradou muito e comecei a me interessar por outros assuntos.

No início do governo do presidente João Figueiredo, em 1979, meu amigo Mário Henrique Simonsen me ofereceu um posto no Conselho Monetário Nacional. Mário havia idealizado o conselho como um grupo de representantes dos setores produtivos, gente com conhecimento, legitimidade e influência suficientes para emitir opiniões sobre os destinos da economia brasileira. Seria, na sua visão, um time de consultores de alto nível, que ajudaria o governo na tarefa de avaliar o cenário e de encontrar as melhores soluções para a economia. Aceitei o convite e passei a destinar ao conselho parte da atenção que, antes, era totalmente dedicada à empresa.

A verdade é que, no período em que me mantive afastado, o Pão de Açúcar começou a ter dificuldades e foi se enfraquecendo. Começaram a ficar cada vez mais claros os sintomas dos problemas que, ao lado do seqüestro, acabariam por influenciar de forma decisiva minha maneira de ver o mundo. A empresa apresentava os primeiros sintomas da crise e minha família não conseguia se entender. Um ano antes de os bandidos me capturarem, meu irmão Alcides havia trocado sua participação na companhia por uma boa soma em dinheiro e mais alguns imóveis. Foi um baque enorme para os cofres da organização. Alcides tomou seu caminho, nos afastamos e a vida seguiu seu curso.

Toda a exposição que eu tinha à frente da maior empresa de varejo do país, mais a minha presença no governo e a repercussão da saída de Alcides da sociedade acabaram me colocando em evidência. Eu estava a todo instante na televisão e meu nome não parava de sair nos jornais. Detesto admitir isso, sob pena de parecer arrogante, mas eu era visto como um homem rico e de hábitos conhecidos – um alvo mais do que previsível para seqüestradores. Qualquer um seria capaz de enxergar essa realidade. Menos eu.

O primeiro seqüestro que sensibilizou o país foi o do banqueiro Antônio Beltran Martinez. Ele foi mantido durante mais de um mês em cativeiro. Depois, foi a vez de meu amigo, o publicitário Luís Salles, que ficou 63 dias em poder dos seqüestradores. Foi mantido dentro de uma barraca de *camping*, armada no interior de um quarto. Muita gente do meio empresarial naquela época passou a andar acompanhada de seguranças. Nossa organização também se mexeu. Contratamos profissionais bem treinados, que passaram a acompanhar meus pais e meus filhos aonde quer que eles fossem. Como já disse, eu me considerava perfeitamente preparado para me defender sozinho.

Tive muito tempo para lamentar minha auto-suficiência no momento em que me vi sozinho naquele cubículo subterrâneo.

O que mais me assustava, naquele momento, era meu próprio temperamento. Pessoas próximas a mim, inclusive minha filha Ana Maria, imaginavam que, no cativeiro, eu estivesse me exercitando, fazendo flexões de braços e abdominais. Não houve nada disso: se eu ia morrer, como acreditava, para que me exercitar? Pensava no tempo que Beltran e Luís Salles permaneceram em poder dos seqüestradores.

Concluí que não conseguiria esperar tanto por minha liberdade. Temia perder a razão e agredir o homem que estava de sentinela, numa das vezes em que ele entrasse no cubículo para trazer alguma comida. Tinha certeza de que, se fosse mantido muito tempo naquele lugar, corria o risco de fazer alguma tolice que pudesse apressar minha morte.

Do lado de fora, vim a saber mais tarde, os fatos se sucediam com uma velocidade impressionante. A polícia logo localizou o carro disfarçado de ambulância que os bandidos usaram no primeiro momento do seqüestro, e o carro foi desmontado para ver se encontravam alguma pista. Um cartão com o nome de uma oficina mecânica, na rua da Consolação, foi encontrado atrás do painel. O carro havia estado lá, para alguns reparos, dias antes do seqüestro. A partir daí, a polícia começou a desenrolar o novelo que resultou na minha libertação, sete dias depois de eu ter sido capturado pelo bando.

Assim que a polícia chegou à porta da casa onde eu estava preso, na manhã de sábado, os bandidos me retiraram do cubículo. Aos poucos, passei a ditar o ritmo das conversas com os seqüestradores e, dali a pouco, estava negociando com eles a minha libertação. Do lado de fora, a polícia parecia ter a situação sob controle. Luiz Carlos Bresser Pereira, que havia sido destacado pela empresa e por minha família para a função de negociador, tentava apressar a solução do caso.

1

MAC
MAC
MAC
MAC

2

3

8

4

5

6

7

9

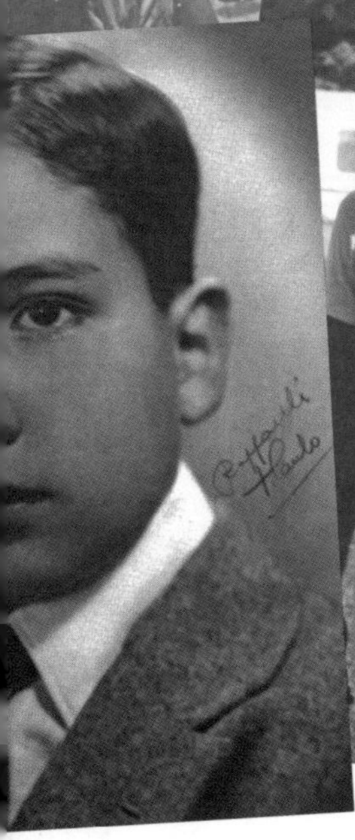

10

1. Correndo na Fórmula V, em Interlagos; 2. Premiação de prova de motonáutica; 3. Partida de tênis; 4. Prova de motonáutica; 5. Aos sete anos; 6. Goleiro do time do Mackenzie; 7. Com os pais; 8. Com Auri e os pais no casamento; 9. Campeão de futebol amador; 10. Na Hípica Paulista.

Fui libertado na tarde de domingo e retomei minha rotina. Minha vida havia voltado ao normal. Pelo menos era o que eu pensava. Na segunda-feira, já estava de volta ao trabalho. À noite, fui nadar em companhia de meu filho João Paulo. Agia como se nada de anormal tivesse acontecido. Queria por toda lei apagar da minha memória os dias que passei naquele lugar terrível. E mantive a situação sob controle até que um episódio corriqueiro me obrigou a enxergar o óbvio: ou eu procurava ajuda para enfrentar aquela situação ou o fantasma do seqüestro me perseguiria pela vida inteira.

"Humildade. Essa é a palavra-chave em torno da qual se organiza todo o processo de mudança pelo qual passei nos últimos anos. Nada disso, claro, aconteceu de uma hora para outra. Não houve uma noite mágica em que fui dormir arrogante para acordar humilde. Foi um processo de aprendizado longo e muitas vezes doloroso."

Faço aniversário no dia 28 de dezembro. Durante pelo menos dez anos, mantive o hábito de deixar São Paulo logo após o Natal e passar meu aniversário e o *réveillon* em companhia de dois ou três casais amigos no Arco-Íris – o barco que tenho já há muitos anos. Naquele ano, mesmo tendo enfrentado uma situação tão terrível, não vi motivos para agir diferente. Fui para o mar. Certa noite, dormia em minha cabine quando fui despertado por um som aterrorizante.

Alguém, provavelmente um marinheiro da embarcação, caminhava pelo convés — e o barulho de seus passos acima de minha cabeça devolveu à minha memória os sons que eu escutava no cativeiro. Tive medo. "Preciso voltar à terapia", foi minha conclusão.

Na época, já me considerava relativamente bem resolvido. Havia enfrentado com disciplina seis anos de análise freudiana ortodoxa. Quatro vezes por semana, passava 50 minutos deitado no divã de um psicanalista. Havia deixado as sessões. No retorno de minhas férias, voltei a fazer terapia e pouco a pouco comecei a descobrir um Abilio que eu mesmo desconhecia.

Essa nova fase desencadeou em mim mudanças muito profundas. O certo é que, alguns anos depois, percebi que meus principais defeitos — a arrogância, a prepotência e o pavio curtíssimo — estavam menos evidentes. Melhor ainda foi descobrir que minhas qualidades estavam mais realçadas. Sempre fui uma pessoa sincera, leal e confiável. Aos poucos, passei a fazer dessas características positivas um uso melhor do que fazia no passado.

Mas, às vezes, nem mesmo um fato como um seqüestro é suficiente para nos alertar sobre as auto-sabotagens que nos impomos e que nos impedem de ter uma vida mais feliz. Eu mesmo não mudei da noite para o dia. Antes que a mudança se processasse, sofri outros dois baques — que, no meu coração, tiveram um peso tão grande quanto os dias que passei no cativeiro. O primeiro foi a desagregação da minha família, no desfecho de uma série de episódios desgastantes que começaram a ocorrer no momento em que meus irmãos quiseram atuar mais diretamente na empresa. A tensão foi aumentando com o correr dos anos e, no auge dela, a violência e o sofrimento foram indescritíveis. Foram momentos terríveis, em que os nervos ficaram à flor da pele e todos os envolvidos, inclusive eu, tiveram atitudes extremas.

1

5

7

2

3

4

1. Abilio, Luiz Felipe, Geyze e Ana Maria; 2. Com a família; 3. Correndo; 4. Com as netas Bruna e Bianca; 5. Com João Paulo e Pedro Paulo; 6. Adriana, João Paulo, Abilio, Ana Maria e Pedro Paulo; 7. Partida de Pólo; 8. Abilio e Geyze; 9. Com o Alfa Romeo em Interlagos.

A tarde da briga em que se selou o rompimento da família foi um dos meus piores momentos. Aquilo me fez questionar seriamente algumas das atitudes que tomei ao longo da vida: havia trabalhado duro para construir o Pão de Açúcar. Nunca parei para pensar na fragilidade de minha situação dentro da empresa. Quando os problemas começaram, me vi completamente isolado. O terceiro e último dos eventos que me fizeram mudar completamente a maneira de enxergar a vida foi a queda do Pão de Açúcar.

"Uma vida de boa qualidade exige mais determinação e disciplina do que qualquer outra escolha do ser humano."

Os problemas de administração causados principalmente pelas desavenças da família e, em segundo lugar, pela situação econômica complicada que o Brasil atravessava quase levaram a companhia à ruína. Quando abri os olhos, a obra a serviço da qual eu havia dedicado uma vida inteira – e na qual empreguei, em doses igualmente generosas, todas as minhas qualidades e todos os meus defeitos – estava a pique de ruir.

Não há por que usar meias palavras: no início dos anos 90, o Pão de Açúcar era apenas uma sombra pálida daquilo que fora nos 30 anos anteriores. A companhia estava praticamente quebrada. A liderança do varejo brasileiro, conquistada à custa de trabalho exaustivo, de muito esforço, havia sido perdida. Ali, me vi diante de uma escolha. Ou viraria as costas para a empresa, deixaria que tudo se acabasse e procuraria reconstruir minha vida de outra maneira ou enfrentaria a família, ficaria com a companhia e lutaria para reerguê-la. Escolhi a segunda alternativa. Reconstruir tudo aquilo foi um trabalho que exigiu uma nova visão do mundo. Incluindo, sobretudo, uma dose elevada de humildade.

Humildade. Essa é a palavra-chave em torno da qual se organiza todo o processo de mudança pelo qual passei nos últimos anos. Nada disso, claro, aconteceu de uma hora para outra. Não houve uma noite mágica em que fui dormir arrogante para acordar humilde. Foi um processo de aprendizado longo e muitas vezes doloroso. Um processo que incluiu aprender a ouvir e a reconhecer as qualidades alheias. Pude observar que a principal lição de sabedoria que uma pessoa pode dar não está na forma como ela fala, mas na maneira como escuta o que os outros dizem.

Um processo de busca do autoconhecimento e da construção de uma auto-estima diferente daquela que experimentei quando me tornei bom de briga. Pude notar, por exemplo, que a simples decisão de passar a cumprimentar pessoas cuja presença eu não notava nos corredores da empresa tornou meus dias mais tranqüilos.

É justamente desse processo de mudança e de melhoria da qualidade de vida que eu pretendo tratar neste livro. As próximas páginas falarão das lições que aprendi depois dos três fatos que mudaram minha vida: o seqüestro, a briga de família e a quebra do Pão de Açúcar. Os esportes e as outras atividades que eu já praticava e que conservei nessa nova fase da vida ganharam um novo sentido. Da mesma forma, me dei conta do valor da moderação dos hábitos e percebi que isso está inteiramente sob nosso controle. Foi essa a descoberta que me transformou num cara menos áspero e menos briguento do que eu era. Passei a compreender melhor o sentido do amor, do autoconhecimento e da religião na minha vida. A intenção neste livro é compartilhar com as pessoas as lições que aprendi após superar momentos de extrema tensão.

É lógico que você não precisa ser seqüestrado, nem ter toda a família contra si e muito menos ver desmoronar a obra de toda sua vida para tomar uma decisão que o conduza a uma vida mais agradável. Muitas das atitudes que nos levam a uma vida melhor são frutos, única e exclusivamente, de uma decisão pessoal — e para tomá-la não é preciso esperar que a situação chegue a um ponto extremo. O primeiro passo para o bem-estar é o autoconhecimento. Só aqueles que se conhecem e têm consciência do que gostam de fazer são capazes de organizar sua vida de maneira a evitar a sensação desagradável de falta de tempo ou, o que é pior, de perda de tempo.

Para completar, um detalhe: quem quer qualidade de vida precisa desejar isso de forma clara. A tal ponto que nada no mundo tenha mais importância do que essa busca. Em suma, quero reiterar o que havia dito nas primeiras páginas deste capítulo: uma vida de boa qualidade exige mais determinação e disciplina do que qualquer outra escolha do ser humano.

Quero compartilhar com você o caminho que tracei a partir de minha própria maneira de ver o mundo e de buscar o equilíbrio fundamental para a qualidade de vida. Nem tudo o que eu faço precisa ser seguido por você. Em alguns aspectos, como na prática dos esportes, sou muito exagerado. Tenho consciência de que ninguém precisa se exercitar durante quatro horas por dia para obter todos os benefícios que a atividade física é capaz de proporcionar. A questão é que, no meu caso, o esporte ocupa um papel fundamental para o meu equilíbrio.

Para outras pessoas, esse equilíbrio pode estar em outras atividades: *yoga*, leitura, viagens... O fundamental é cada um olhar para si e descobrir o que é prioritário em sua vida.

Enfim, procuro mostrar aquele sentido da vida que os americanos resumem na expressão *my way*. Esse é o meu caminho, o meu estilo, o meu jeito de fazer as coisas. Não quero, de maneira alguma, insinuar que essa é uma fórmula infalível, capaz de pavimentar com segurança o caminho para a felicidade. Não existe fórmula secreta: só mesmo a organização e a disciplina permitem que uma pessoa desempenhe todos os seus papéis e dê conta de todas as suas atividades de forma equilibrada e harmoniosa.

"Não existe fórmula secreta: só mesmo a organização e a disciplina permitem que uma pessoa desempenhe todos os seus papéis e dê conta de todas as suas atividades de forma equilibrada e harmoniosa."

Disciplina é algo que, no início, você se impõe, mas que, depois, adquire. À medida que você descobre a importância de ser disciplinado, passa a cultivar esse hábito e a treiná-lo todos os dias. É assim mesmo que deve ser feito. Não há outro caminho. Eu, pelo menos, não conheço. Ninguém se torna disciplinado ao sabor do acaso. Também não existe um manual que nos mostre como incorporar essa característica da noite para o dia. A disciplina só é incorporada às nossas vidas como conseqüência de uma decisão pessoal. É preciso, primeiro, descobrir a importância de agir de acordo com esse princípio. Depois, se impor a necessidade de ser disciplinado para prosseguir com aqueles benefícios que você experimentou e gostou.

Compare a vida de uma pessoa disciplinada com a de uma que não tenha praticado esse princípio e escolha com qual delas você quer se parecer. É preciso, claro, ver as coisas a longo prazo. Existe uma versão de que há uma grande alegria na indisciplina e uma tristeza, uma chatice enorme, na disciplina. Muitos acreditam na visão romântica, quase adolescente, de que a felicidade está na indisciplina, na liberdade a todo custo, na falta geral de compromisso. Essa idéia, claro, é tentadora.

Dezenas de razões levam as pessoas a pensar assim. O que mais combina com a idéia de liberdade: a disciplina ou a indisciplina? A maioria, claro, tende a ver a indisciplina como sinônimo de felicidade. Aqueles que olham com atenção para o mundo à sua volta tomarão consciência de que a liberdade está do lado oposto. É preciso perceber que, com disciplina, conseguimos realmente fazer o que é importante para nós, sem nos deixar vagar livremente, incorrendo em inúmeras horas perdidas em desejos que nunca se concretizam. Você quer ter mais tempo para si? Quer diminuir a gordura de seu corpo? Quer ter mais espaço para *hobbies*, para a família e para as viagens? Organize-se. Não existe fórmula mágica, não existe carta na manga, não existe pulo do gato. Também não existe sorte. Ter qualidade de vida exige, antes de mais nada, uma tomada de decisão. Objetividade. Nessa matéria, nada acontece ao sabor do acaso. Tudo depende apenas de nós mesmos. Saber disso, com certeza, torna o caminho muito mais fácil.

♦

Os Seis Elementos

Uma única razão me levou a revelar detalhes de meu mundo pessoal, como fiz no capítulo anterior, em um livro que se propõe a falar sobre qualidade de vida. Minha intenção foi mostrar o alicerce sobre o qual ergui os conceitos que defenderei deste ponto em diante. E a melhor maneira que encontrei para fazer isso foi mencionar passagens de minha história; apresentar fatos que mostram como eu era e os motivos que me fizeram escolher um caminho diferente do que segui em boa parte de minha vida. Na minha opinião, isso lança luz sobre meus motivos e revela, principalmente, que meus pontos de vista têm uma base sólida e razões fortes para existir.

Alguns dos episódios que acabei de relatar – ou, pelo menos, minha opinião sobre eles – eram conhecidos apenas pelas pessoas do meu círculo mais próximo. É claro que deixei de falar de muita coisa que se passou comigo. Apenas elegi, entre situações marcantes de meu passado, algumas que poderão ajudá-lo a formar uma idéia do tipo de sujeito que eu era: auto-suficiente e um tanto prepotente. Também falei das circunstâncias que, mais tarde, inspiraram minhas transformações. É preciso deixar claro um detalhe: não foram os fatos que me transformaram num homem diferente. O seqüestro, a briga da família e a quase falência do Pão de Açúcar poderiam muito bem ter servido apenas para acentuar meus velhos defeitos, meus velhos hábitos, minha antiga maneira de ser. Afinal, enfrentei e superei aqueles obstáculos sendo justamente aquele cara difícil que eu era.

Foi a reflexão sobre tudo o que vivi e a conclusão de que não gostaria de passar por situações como aquelas novamente que me abriram os olhos para a necessidade de encarar o mundo, as pessoas e a mim mesmo de uma maneira diferente. É preciso deixar claro um detalhe fundamental: não quero de forma alguma afirmar que, antes das mudanças, eu tenha feito sempre as escolhas erradas. Também não quero sugerir que eu era um mau sujeito. Tinha lá os meus defeitos, reconheço. Mas tinha também um monte de qualidades — e foram justamente elas que me levaram a sentir o desejo de mudar. Mudar só tem sentido se for para melhor. Mudar para quê? No meu caso, para tornar a existência mais leve, para me dar a chance de ter uma vida mais longa e, sobretudo, para ser mais feliz. Felicidade. Esse é o verdadeiro sentido de tudo. Esse é o valor que devemos perseguir.

Passei um bom tempo pensando naquilo que é fundamental na vida. Refleti sobre as atitudes que têm o poder de tornar o corpo e a cabeça mais equilibrados e, assim, prolongar nossas vidas de forma saudável. Pensei, também, naquilo que nos proporciona tranqüilidade, naquilo que permite nos relacionarmos com o mundo de uma forma mais serena e, finalmente, naquilo que nos deixa em paz diante do maior poder que existe no universo. Cuidei de colocar meus sentimentos e meus anseios em seus devidos lugares e abri mão de uma série de pontos de vista que não tinham importância. Percebi, ao longo desse processo, que a vida pode ser muito melhor quando conseguimos levar em conta seis fatores — todos eles essenciais. Nenhum deles é mais importante do que o outro: são complementares e interdependentes como os fios de uma rede.

Os três primeiros dizem respeito à saúde física. Nossa possibilidade de protegê-la e de reforçá-la aumenta muito a partir do instante em que passamos a nos dedicar a uma atividade física regular e bem orientada;

do momento em que olhamos com mais atenção para aquilo que comemos e para a forma de nos relacionar com os alimentos; e, finalmente, da hora em que nos damos conta de que uma série de fatores causadores do *stress* estão inteiramente sob nosso controle. Cabe a nós mantê-los à distância.

Os outros três fatores dizem respeito à maneira de nos colocar no mundo. O primeiro deles é o autoconhecimento, a importância de estarmos sempre olhando para dentro de nós mesmos; o segundo é o amor, um sentimento que traz muito mais benefícios, e que deve ser muito mais praticado do que o ódio; o último trata da importância e da necessidade de nos relacionarmos com a grande força ordenadora do universo — Deus — por meio da fé e da espiritualidade. Nenhum desses seis pontos deve merecer de nós mais importância do que o outro: todos os seis precisam estar perfeitamente alinhados, cada um em seu devido lugar, cada um cumprindo seu papel, cada qual contribuindo à sua maneira para o nosso equilíbrio. Cada um deles nos ajuda a entender melhor os diferentes papéis que devemos desempenhar e as diversas atividades que precisamos exercer na vida.

O segredo, portanto, está no equilíbrio. A construção de uma vida de boa qualidade não depende de um aspecto isolado. Depende, isso sim, da combinação dessas seis circunstâncias — e é bom ter claro que cada uma delas perde boa parte de seu sentido na ausência das demais. Uma pessoa cheia de cuidados com a própria alimentação, por exemplo, não conseguirá tirar todo proveito dela se não a combinar com um programa de atividades físicas bem orientado. Da mesma forma, ninguém conseguirá se manter suficientemente afastado do *stress* caso não procure conhecer a si mesmo a ponto de saber seus limites e suas possibilidades. Ainda nessa direção, me parece razoável afirmar que o amor, como a forma mais perfeita de relacionamento entre as pessoas, perde muito de sua grandeza na ausência de valores como a fé e a espiritualidade.

Muita gente pode considerar impossível combinar elementos tão diferentes e, mais do que isso, dar a cada um dos seis a devida importância em nossas rotinas. Afinal, um desses aspectos, sozinho, muitas vezes parece importante demais para dividir espaço com qualquer outra coisa. Quando alguém se lança a um trabalho de reeducação alimentar, por exemplo, esse fato adquire uma importância tão grande em sua vida que parece um absurdo exigir que essa pessoa encontre energia para combiná-lo com qualquer outra coisa. Da mesma forma, é muito difícil encontrar um defensor intransigente da atividade física, como eu sou, que a coloque em pé de igualdade com as técnicas de combate ao *stress* para a construção de uma vida saudável. Na mesma linha, muitos podem considerar blasfêmia o fato de eu defender que a relação com Deus tem a mesma importância do autoconhecimento na vida das pessoas. O que eu quero enfatizar é o seguinte: esses são os elementos essenciais e a presença de um não compensa a ausência dos outros. Mais do que isso, creio que existe, sim, uma maneira de combiná-los nas nossas vidas e de colocar cada um em seu devido lugar. Falo de uma qualidade chamada disciplina.

A disciplina é quase o sétimo fator dessa equação — e só não será tratada num capítulo específico porque ela é o nó que cuida de manter unidos os fios dessa teia. Assim, está presente em todos eles. Essa qualidade, da forma que a enxergo, nada mais é do que a força que nos impede de desviar do caminho que traçamos para nós mesmos. É ela que nos mantém no trilho e que nos leva adiante nos momentos em que o trabalho de cuidar de nós mesmos parece exigir um esforço fenomenal. É ela que nos permite ser flexíveis sem que essa flexibilidade se confunda com concessão.

No começo, pode parecer difícil cumprir um programa de atividades físicas combinado a uma mudança dos hábitos alimentares e à busca permanente do autoconhecimento e daí por diante. Em pouco tempo, a pessoa notará que é nesse equilíbrio que está a chave de tudo. Notará também que, no final das contas, se você seguir esse caminho, não terá de se forçar a nada. Cada um dos seis elementos, à medida que os colocamos em prática, nos dá a força necessária para não sermos negligentes com os demais. O bem-estar não exige martírios: basta a pessoa saber o que deseja e ter a disciplina necessária para conduzir sua vida naquela direção.

A complexidade da vida tem a medida que lhe damos – e os elementos que procurei combinar aqui tornam nossa jornada mais leve e divertida, mesmo quando o cenário se mostra especialmente difícil. Nas páginas a seguir, exponho idéias e atitudes que me levaram a uma melhor qualidade de vida. Algumas podem parecer óbvias. Outras, nem tanto. Gostaria que este livro não fosse analisado pelas partes – mas pelo todo. É o conjunto que dá sentido aos pontos de vista que apresentarei a seguir. Muitas das coisas que direi, sobretudo nos capítulos que tratam do autoconhecimento, do amor e da espiritualidade, durante muito tempo me pareciam inconfessáveis. Tolice. Se elas ajudarem alguém a se sentir tão revitalizado quanto passei a me sentir depois das mudanças, meus objetivos estarão cumpridos.

♦

"Liga para o Abilio"

Bernardino Tranchesi Junior

Talvez seja interessante para o leitor saber a opinião que um médico cardiologista tem sobre o Abilio, em um livro de sua autoria sobre qualidade de vida, sendo que nos conhecemos no exercício da minha profissão. A primeira reação será pensar: "Mas espera lá, o Abilio não está vendendo uma imagem de saúde e vigor?". Aviso rapidamente: a imagem é verdadeira e o real motivo de eu dar meu depoimento sobre ele é justamente porque o Abilio tem um lado médico inato e um real comprometimento com sua saúde e com a dos que estão ao seu redor.

Como bons amigos que nos tornamos, também poderia dizer que ele tem uma tendência à hipocondria. Ele vai negar. Vou ser mais preciso: ele já teve uma queda pela hipocondria e foi por causa disso que nos conhecemos. De todo modo, seu interesse pela medicina abrange desde a ortopedia até a cardiologia, passando por quase todas as especialidades. Nós, os amigos diplomados em medicina, costumamos brincar que há no Abilio um médico que milita a profissão por meio do nosso CRM.

Meu primeiro contato com ele foi em 1982, quando eu era médico residente. Certo dia, às 6h30 da manhã, recebemos um chamado no hospital para atender o sr. Abilio Diniz em sua casa. Lembro-me dos detalhes da cena: eu, muito jovem, entrando naquela casa gigantesca, naquele quarto enorme, e o Abilio lá, deitado, reclamando de dor no peito. Ele, com cara de mau, caladão, travado mesmo, e eu tentando tranqüilizá-lo. Fizemos alguns exames e, com eles em mãos, expliquei-lhe que não corria risco algum, que seu coração estava normal. Mas o Abilio não aceitava. Achava que podia enfartar a qualquer momento e discutia comigo. Alegava que o exame apresentava algumas particularidades. E, não bastando, a certa altura, disse que queria falar com o Fulvio Pillegi (na época, diretor-geral do Incor e meu chefe). Ao telefone, ele discutiu os exames e se autoprescreveu um cateterismo cardíaco. Veja: cateterismo não era uma coisa simples naquela época, mas ele sabia do que se tratava e justificou por "A" mais "B" que era do que ele precisava. Ainda tomei uma dura do dr. Fulvio. O exame foi feito e, graças a Deus, como eu previa, tudo estava normal.

Esse primeiro encontro apenas confirmou a imagem que eu tinha do empresário Abilio Diniz: um homem fechado, de poucas palavras e de poucos amigos. Aquele tipão rico e prepotente. Depois disso, não tivemos mais contato até 1985, quando seu genro na época, o Tito Caloi, sofreu um infarto. Era aniversário da minha mãe, estava na casa dela, e fui chamado às pressas para ir ao hospital. Na ocasião, foi decidido pelo dr. Fulvio e pelo "professor" Abilio que o tratamento de Tito deveria ser feito em Cleveland. Fui indicado para acompanhá-los. Foi só aí que comecei a conhecer o Abilio. Mais relaxado, longe dos negócios, ele ria, conversava e mostrava-se dedicado à família. Ficávamos o tempo todo juntos. De manhã à noite. O que mais me impressionou nessa convivência foi ver aquele sujeito rico gastando dinheiro só em tênis e calção de corrida. Nada de luxo, nada de esbanjamento e ostentação. Só entrava em lojas esportivas — um espanto! Ele vivia se perdendo nas ruas de Cleveland, porque não tem memória para trajetos, e ríamos muito dessa inabilidade dele.

Daí nasceu uma amizade sincera. Descobrimos que, apesar de totalmente diferentes um do outro, tínhamos uma empatia. Ele é metódico, disciplinado; eu não. Ele não bebe, come só aquelas comidas balanceadas dele. Eu adoro um vinho, adoro ovo. Ele tem uma rotina que me deixa maluco e, depois de um tempo juntos, aquilo vai me dando aflição. Mas, como disse, apesar dessas contradições, gosto muito da companhia dele. O Abilio aceita as pessoas como elas são, aceita que sejam diferentes dele. Desde o advento Cleveland, nos falamos quase semanalmente e nossas famílias se tornaram amigas. Já viajamos juntos muitas vezes para a casa dele no Guarujá, para a Fazenda da Toca e fomos assistir às corridas do Pedro, anos atrás.

Na verdade, o Abilio compartimenta as pessoas em gavetas. E isso não é ruim. Dessa maneira, ele consegue se relacionar com qualquer pessoa, sabendo exatamente o que ela espera dele, tenha ela interesse nos negócios ou no que quer que seja. Ele não tem ilusões ou ingenuidades acerca de quem o rodeia, sabe o que esperar de cada um e, assim, não se decepciona com ninguém. É claro que, quando confia em alguém, ele cobra.

Eu disse há pouco que a preocupação dele com a saúde chegava a qualificá-lo quase como hipocondríaco. Conhecendo-o melhor, entendo que, na verdade, o Abilio tem muito medo de perder a saúde preciosa que esbanja. Ele, aliás, não suporta ver ninguém doente. Quer logo resolver o problema e colocar a pessoa em pé.

Na sua concepção de tempo, tudo tem de ser solucionado rapidamente e lhe é insuportável ver uma pessoa passando mal. Em função disso, se existe algo que o Abilio não tem, é a paciência da cura — sobretudo se o paciente for ele mesmo. Digo-lhe que o tempo é a terceira dimensão da doença, explico-lhe que é preciso dar tempo ao corpo. E adianta? Uma gripe leva uma semana para ir embora, mas o Abilio luta contra essa verdade. Se um caso médico cai em sua mão (o que acontece o tempo todo), ele chama a junta médica de amigos, entra no meio do diagnóstico, dá o palpite dele, envia a pessoa para um, para outro. Costuma dizer que sou o médico assistente dele, de tanto que ele palpita nos casos médicos que manda para mim. E o cara acerta na maioria das vezes! O que ele não consegue diagnosticar é porque faltou à aula – quer dizer, é alguma coisa que ele não teve ou nunca viu. Mas não mede esforços para ajudar quem está com problemas.

Nossa amizade lhe dá o direito de me considerar um sujeito digno de confiança, o que, em outras palavras, significa que ele envia para meu consultório todo tipo de paciente: desde os com problemas de queda de cabelo e unha encravada, até casos reais de doenças cardíacas. E eu aceito: ele é meu amigo!

O Abilio tem um coração enorme – não no sentido físico, isso vindo de um cardiologista pode ter outro sentido. Quero dizer que ele tem alma boa. Não esqueço da ocasião em que o João Paulo foi assaltado e teve dois de seus seguranças feridos. Os funcionários do Pão de Açúcar têm um plano de saúde excelente, com ótimos hospitais, mas o Abilio mandou os dois rapazes para o Hospital Albert Einstein e não deixou que saíssem de lá antes de ficarem totalmente sãos. E era coisa séria – um tinha sido atingido no pâncreas e o outro, em uma artéria. Pagou tudo do bolso dele.

Teoricamente, o Abilio é autoritário. Mas só teoricamente. Ele sempre ouve o que uma pessoa lhe diz. Questiona, ouve outras opiniões e, se ele for convencido de que aquilo é o certo, toma como verdade. Aos seus filhos, por exemplo, ele nunca impôs nada: aceita que cada um escolha seu caminho. Por ter personalidade forte e se impor, a gente não espera que ele seja assim tão liberal com os filhos. Mas, por eles, faz qualquer negócio, agüenta o que for. E é um homem de muita fé.

Eu acompanhei um caso muito grave pelo qual o João Paulo passou anos atrás. Ele teve diagnosticada uma hipertrofia do miocárdio. Trata-se de uma doença congênita no coração que costuma matar atletas. No caso de João Paulo, que é um atleta, foi recomendado que não praticasse mais nenhum tipo de esporte. Nada. Nem atravessar a rua correndo ele podia, sob pena de morrer de um ataque fulminante. Você imagina que isso caiu como uma bomba naquela casa!

Fomos para os Estados Unidos e Alemanha com o garoto, e o diagnóstico era sempre o mesmo. Todo mundo era unânime. Mas o João Paulo dizia que não ia parar de praticar esportes. E o Abilio só contemporizava – não queria ver o filho sofrer, pedia paciência, ia de médico em médico. Sempre com aquela pressa de resolver tudo voando. Por fim, pesquisei e mantive contato com a sumidade no assunto. Ele ficava em Washington. Fui junto para submeter o João Paulo a uns exames físicos superagressivos. A idéia era analisar se, sob batimentos altíssimos, seu coração fibrilava (sofria parada).

Ele fez todos os testes, colocou o coração para lá de 500 batimentos e nada aconteceu. O médico especialista, ainda assim, disse que não recomendava a prática de esportes a João Paulo. Mas eu arrisquei e tomei sob minha responsabilidade a decisão de deixá-lo ir fazendo esportes de pouco em pouco. O João Paulo chegou a participar até do Ironman, uma competição que prevê provas pesadíssimas, e nada aconteceu. Nos exames posteriores, o que vimos foi uma regressão impressionante da hipertrofia no seu coração até quase desaparecer. Sinceramente, foi uma graça que a família recebeu. Para mim foi a fé do Abilio que obteve esse feito. Não tem explicação.

Nos últimos 20 anos, meu amigo Abilio mudou muito. Na verdade, nós dois mudamos. Eu sofri uma separação e isso me trouxe muito sofrimento. Nós dois passamos a ser mais humildes. Como amigo, ele foi muito tolerante comigo quando passei por esses momentos complicados. Brigar com ele é muito difícil, ele estica a corda a favor de quem ele gosta. Vejo-o como um sujeito que já tem tudo na vida e que poderia se acomodar. Mas ele quer sempre melhorar. É um inconformado. Se ele abraça uma causa vai com ela até o fim.

Lembro-me dele quase ministro do Estado, prepotente, às turras com a família. E, depois, tendo de salvar o Pão de Açúcar. Confesso que não o imaginava mais pegando no breu, trabalhando pesado como ele já fizera antigamente. Achei que, ali, ele ia entregar os pontos, quebrar e perder tudo – ele nunca teve dinheiro algum fora do país. Mas o Abilio deu a volta por cima. Perdeu tudo e reconstruiu uma empresa dez vezes maior do que a anterior. Acho-o um verdadeiro gênio. É o maior empresário que este país já teve.

Considero-me um felizardo por ter um amigo como ele. Casei-me de novo recentemente e costumo dizer para a minha mulher o seguinte: "Se algum dia eu entrar em alguma enrascada, seja ela qual for – médica, policial, ou sei lá o quê – liga para o Abilio". Vou estar em boas mãos. Se ele estiver à frente do caso, tenho certeza de que vou me salvar."

ITM
Time

Atividade Física

"Quanto mais eu treino, mais sorte eu tenho."

Na entrada do Central Park, eu já não era capaz de sentir o chão sob meus pés. As pernas se moviam quase que por conta própria e me conduziam à linha de chegada da maratona de Nova York de 1994, a primeira que disputei. Eu era um entre milhares de corredores que, mais de duas horas antes, haviam iniciado a prova em Staten Island. Antes da metade do percurso, quando o cansaço parecia insuportável, a idéia de disputar aquela corrida me parecia insana. Mais de uma vez me flagrei pensando: "Meu Deus! O que estou fazendo aqui?" Mesmo assim, fui em frente. A maratona prosseguiu pelo Brooklyn, pelo Queens e pelo Bronx. Quando entrei na ilha de Manhattan, o cansaço já não parecia tão intenso. Aos poucos, fui sendo tomado por uma alegria imensa. Daí à euforia, foi um passo.

A prova estava quase no fim. Minhas pernas pareciam anestesiadas, mas isso já não tinha a menor importância. Quanto menos as sentia, mais experimentava aquela alegria inesquecível. Entre as árvores do Central Park, a sensação de vitória tornou-se ainda mais intensa. O instante em que cruzei a linha de chegada foi, sem dúvida, um dos mais emocionantes de minha vida. Tive a impressão de que tudo o que eu fizera até ali em matéria de esportes, no fundo, no fundo, havia sido apenas uma preparação para aquela conquista.

Vitória, essa é a palavra. Independentemente da posição em que eu tenha terminado a prova, eu me sentia um vencedor. E era mesmo.

Qualquer um que consiga concluir os 42 quilômetros de uma maratona – não importa quanto tempo gaste, não importa em que posição termine – é um vencedor. Pouco mais tarde, quando cheguei no hotel, tomei meu banho, me deitei para descansar e pensei comigo: "Valeu a pena todo o esforço despendido, valeram os meses de preparação, valeram as dores que senti na hora da prova". Tudo aquilo valeu a pena.

"Meus hábitos saudáveis já inspiraram muitas pessoas próximas de mim a praticar exercícios. Se eu puder fazer isso também com você, me sentirei feliz. No Pão de Açúcar, muita gente tornou-se atleta sob a influência não de minhas palavras, mas de meu exemplo."

Você pode estar lendo esta história e imaginando quão distante tal sensação estará de você. Talvez nunca tenha lhe ocorrido correr uma maratona. Ou talvez nem tenha lhe passado pela cabeça praticar qualquer tipo de atividade física. Se você faz parte de um desses dois grupos, gostaria de poder pegá-lo pelo braço e trazê-lo para essa outra realidade: a realidade das pessoas que já experimentaram o bem-estar que invade nosso corpo após o exercício cumprido e que, desde então, não conseguem mais viver sem ele. Gostaria de convencer você a provar a emoção e o gosto de enfrentar desafios como esse. É uma sensação de liberdade ter consciência de que seu corpo não vai abandoná-lo, que ele está pronto a fazê-lo chegar ao ponto que você estabeleceu. Essa comunhão entre corpo e mente o faz sentir-se pleno, livre e dono de si. É como diz uma frase que mantenho há muitos anos afixada na parede de meu escritório: "O desafio de correr não é querer realizar coisas que ninguém jamais fez antes; mas, sim, continuar a fazer coisas que qualquer um pode fazer, mas que a maioria jamais fará".

Mesmo que não corra uma maratona, o mais importante é que você se preocupe em praticar atividades físicas que o farão se sentir bem – ou melhor – dentro de um corpo ágil, forte e saudável. Sei que dar o primeiro passo não é fácil. Não sou diferente de ninguém. Quando está frio, por exemplo, ou estou muito cansado, sinto preguiça de me levantar da cama para cumprir o ritual de exercícios que ocupam uma hora de meu dia, todas as manhãs. Mas quando me lembro do bem-estar que sentirei momentos depois, degustando meu café, de banho tomado – do quanto isso me fará bem por todo o dia – me arranco da cama e, quando percebo, já estou me exercitando.

Não sei exatamente como isso se dá, mas tenho a noção clara de que meus hábitos saudáveis já inspiraram muitas pessoas próximas de mim a praticar exercícios. Se eu puder fazer isso também com você, me sentirei feliz. No Pão de Açúcar, muita gente tornou-se atleta sob a influência não de minhas palavras, mas de meu exemplo. Tenho agilidade, flexibilidade e disposição para trabalhar das sete da manhã às sete da noite, voltar para casa, ainda praticar *squash* e sair com Geyze, minha mulher. Isso em determinados dias da semana. Não sempre, que também não sou de ferro. De modo geral me mobilizo a aterrissar na cama cedo, porque sei que se não me levantar às cinco, como de costume, para praticar minhas atividades, meu dia não ficará completo.

Você vai ler ao longo deste livro depoimentos de pessoas que nunca haviam calçado um tênis na vida e que, por influência de todo o clima favorável ao esporte que paira no Pão de Açúcar, se tornaram atletas. Algumas passaram a disputar provas de bicicleta e maratonas. Outras simplesmente se sentiram mais bem-dispostas e saudáveis adotando exercícios físicos diários. Tenho orgulho de dizer que nossa companhia é uma das empresas brasileiras que mais reconhece a importância da atividade física na vida de seus colaboradores. E não fazemos isso apenas incentivando pessoas a uma alimentação saudável e à prática de esportes: nós montamos uma bem equipada academia, com uma equipe de profissionais de alto gabarito que possibilita a prática dessa teoria. Isso no prédio central. Em algumas lojas, mantemos *personal trainners* que ministram programas de corrida e exercícios para nosso pessoal todas as manhãs. Esses profissionais estão lá para atender e orientar aqueles que, como eu, transformaram os exercícios físicos em algo diário e indispensável como escovar os dentes. Até pensando na possibilidade de você se sentir influenciado desde já, reproduzimos no final deste livro as mesmas planilhas que um colaborador novato recebe ao ingressar na Academia Pão de Açúcar para iniciar um programa de atividades. Caso você queira dar o primeiro passo, elas guiarão você da total imobilidade a um programa prazeroso de caminhada e corrida até o nível intermediário. Além de uma série de exercícios para fortalecer sua musculatura em casa mesmo, sem a ajuda de aparelhos.

Antes de precipitar-se, no entanto, convido você a fazer um esforço necessário em benefício de si próprio — procurar um médico especializado. Um clínico geral. Explique a ele seu objetivo de praticar exercícios e peça que o submeta a um exame. É sempre importante ter certeza de que os exercícios não se tornarão um pesadelo, caso você necessite de acompanhamento especial. É recomendável também um teste ergométrico, para avaliar as condições de seu coração durante um trabalho de respiração acelerada. Boa parte dos laboratórios que constam na maioria dos convênios médicos oferece isso aos seus clientes.

Uma vez iniciados os exercícios, você verá que em poucas semanas os resultados aparecem e costumam ser impressionantes. Fico feliz de acompanhar a evolução de uma pessoa de hábitos sedentários que aos poucos se transforma num atleta. Ou, no mínimo, passa a ter uma vida física mais intensa. O rosto de alguém que deixa de apenas andar e passa a correr na esteira reflete a imagem da conquista. Também é gratificante notar o orgulho com que alguns senhores respeitáveis, donos de carreiras profissionais sólidas, passam a se olhar no espelho depois de se livrar dos quilos indesejáveis que acumularam em volta da cintura ao longo da vida. Melhor ainda é perceber a tranqüilidade de um ambiente profissional no qual as pessoas que colhem os benefícios da atividade física formam um grupo mais numeroso a cada dia.

No meu caso específico, a lista de pontos positivos também inclui, claro, a satisfação que sinto toda vez que um atleta do PA Club, o time de corredores patrocinado pela companhia, vence uma prova. Momentos como esse só existem porque conseguimos transformar a atividade física, e os benefícios que ela proporciona, numa parte importante da cultura de nossa empresa. Pelos casos que tenho acompanhado em nossa companhia, qualquer pessoa, de qualquer idade, que inicie um programa de condicionamento físico pode ter como meta completar uma maratona.

Falo de esporte com entusiasmo porque ele sempre foi para mim, desde a adolescência, uma fonte de bem-estar e alegria. Mais até: foi um instrumento que me ajudou a moldar uma auto-estima tão firme quanto minha musculatura. É impossível recordar todos os momentos de satisfação que as vitórias me proporcionaram. Mas a sensação que experimentei ao concluir minha primeira maratona foi única. Nem mesmo nas outras duas vezes em que disputei a prova, em 1995 e 1997, senti algo parecido. Uma frase que li na camiseta de um corredor que ultrapassei define bem o que senti naquele dia especial: "*Pain is temporary; proud is forever*". Em bom português: "A dor é temporária; o orgulho é para sempre". Gostei tanto que, sem considerar sua paternidade, me apropriei dela e mandei estampá-la em algumas de minhas camisetas de corrida. Desde então, ela se transformou numa espécie de lema.

Sempre fui um atleta aplicado — e essa característica, ao longo de minha vida, vem se tornando cada vez mais acentuada. Repito que sou meio exagerado. Cumpro, há alguns anos, exercícios em três períodos: pela manhã, no meio do dia e à noite. Se considerar o tempo de aquecimento e de alongamento que faço antes de cada atividade, posso dizer que o esporte ocupa mais de três das minhas 24 horas. E a simples idéia de ficar parado um período mais longo é suficiente para me deixar irritado. Não admito essa possibilidade. Uma prova disso se deu em 2001.

Todo atleta está sujeito à contusão. Umas mais sérias, outras mais simples. Eu também passei por isso. Meu tendão de aquiles esquerdo, após algum trauma não identificado, se desconectou do osso. Parou de funcionar como devia, como um fio elétrico que se desprende do interruptor e perde a capacidade de conduzir energia até a lâmpada. A única forma de resolver o problema e eliminar as dores terríveis que eu sentia durante os exercícios era a cirurgia — após ouvir os especialistas brasileiros, achamos por bem que ela fosse feita em Pittsburgh, nos Estados Unidos.

As previsões mais otimistas indicavam que eu teria de permanecer inativo por, pelo menos, dois meses antes de iniciar a fisioterapia pós-operatória. Se tudo corresse bem, mais ou menos um ano depois da cirurgia eu estaria recuperado. Como você pode imaginar, sabendo quanto os exercícios são importantes para mim, bateu-me um pânico e discordei da previsão. Era muito tempo. Quanto antes eu retomasse a atividade, ainda que de forma precária, mais cedo me recuperaria da cirurgia e mais cedo voltaria à minha rotina. Era isso o que eu imaginava.

Minha reação causou espanto até mesmo no médico Stephen Conti, o especialista americano que me operou. Menos de 48 horas depois de haver sofrido um corte de mais de 30 centímetros na perna esquerda, eu me encontrava na academia do hotel em que estava hospedado, fazendo exercícios com os braços. Enquanto permaneci em Pittsburgh, em observação, me exercitei todos os dias. Deixei os Estados Unidos na noite de 10 de setembro de 2001 — véspera dos atentados terroristas contra o World Trade Center. Duas semanas depois da operação, fui autorizado a nadar com gesso plástico e uma cobertura protetora. Nadava com um flutuador entre as pernas e me exercitava com a parte superior do corpo. O resultado desse esforço foi que, dessa maneira, queimei etapas do tratamento e consegui voltar à normalidade numa velocidade surpreendente.

Para resumir: todo o trabalho de recuperação tomou apenas um terço do tempo que o especialista americano havia previsto. Para mim, foi uma grande vitória. Fiquei muito satisfeito, sobretudo porque pude voltar a correr, jogar e me movimentar como sempre fiz. Pode lhe parecer meio obsessivo? Bem, durante a vida a gente pode se apegar a muitas coisas. Há quem se apegue a um copo de uísque por dia. Há quem se apegue a uma poltrona na sala e dela só saia para cair na cama. Eu me apeguei à minha disposição física e batalho por ela. Tenho certeza de que minha vida teria ficado insuportável se eu tivesse de reduzir meus esportes durante o ano inteiro — como indicavam as previsões. A disciplina de exercitar-me, mesmo numa situação incômoda e arriscada, foi fundamental para esse retorno mais rápido ao meu ritmo de sempre. Nos primeiros dias, bastaria eu ter tocado o chão com a perna esquerda para colocar toda a operação a perder.

Algumas pessoas que nos dias seguintes do meu retorno ao Brasil acompanharam minha movimentação na academia do Pão de Açúcar demonstraram perplexidade diante de minha disciplina. E aqui tenho de admitir: nunca me faltou disciplina, que é um dos instrumentos que uso para conseguir fazer tudo o que programo em meu dia. Elas simplesmente não conseguiam entender a razão que me levava a estar ali, me esforçando tanto, quando poderia perfeitamente aproveitar aquele tempo para dormir mais, para ficar em casa diante da televisão, para ler ou simplesmente não fazer nada. Afinal, eu havia acabado de passar por uma cirurgia e tinha um motivo mais do que justo para relaxar um pouco, para desacelerar meu ritmo de atividade e até mesmo para trabalhar menos. Não quero parecer o Super-homem, mas, com toda sinceridade, minha cabeça funcionou na direção oposta à das pessoas que tinham esse tipo de opinião.

Comecei a praticar esportes de forma regular com 13 anos de idade e desde essa época os exercícios conquistaram um espaço central na minha vida. Primeiro, joguei futebol e pratiquei boxe, judô e capoeira. Depois, fiz levantamento de peso no tempo da faculdade. Mais tarde, me dediquei aos esportes aquáticos.

Pratiquei esqui aquático e disputei provas de motonáutica. No comando de uma lancha 3 Pontos, superveloz para os padrões da época, fui tricampeão brasileiro. Nesse período todo, nunca abandonei o futebol. Pelo menos duas vezes por semana lá estava eu, de mangas compridas e joelheiras, impedindo os gols adversários. Adorava ser goleiro. Contudo, soube parar na hora certa. As coisas da vida têm de ser assim. Enquanto tenho entusiasmo, pratico um esporte com total dedicação. Quando a motivação começa a diminuir, prefiro parar.

Esse é meu jeito, sou exagerado. Você não precisa se exercitar no mesmo ritmo que eu. Também não precisa, como eu, acordar de madrugada e fazer pelo menos uma hora de trabalho aeróbio[1] antes do café-da-manhã. Escolha um período: manhã, hora do almoço ou após o trabalho – e malhe. E, já que comecei a descrever o que faço, aqui vai todo o meu roteiro.

No meio do dia, que para a maioria das pessoas é a hora do almoço, para mim é o momento da segunda sessão de exercícios. Não costumo agendar nada nessa hora, porque tenho esse compromisso maior com meu bem-estar. Nesse horário, três vezes por semana, faço as atividades voltadas para o fortalecimento e para a elasticidade dos músculos. Em outros dois dias, aproveito o período para treinar os fundamentos do esporte de competição que pratico atualmente, o *squash*. O início da noite é reservado para jogar uma partida. Duas vezes por semana, uma pela manhã e uma à noite, pratico uma modalidade de *yoga*, chamada *ashtanga*, que me foi apresentada por meu filho Pedro Paulo. É um trabalho de alongamento e de fortalecimento muscular que faz uso intenso da respiração – e é um dos exercícios mais completos que já conheci. No começo, confesso que me contorcer parecia estúpido e doloroso além da conta. Doía tudo. Mas, em algumas semanas, a *yoga* mostrou-se de uma eficiência assustadora. Senti-me mais flexível e leve como jamais me sentira antes. Eu subia as escadas para tomar meu banho após a aula como se estivesse levitando.

---

1 Optou-se, neste livro, por utilizar o adjetivo "aeróbio", por ser a forma mais moderna de se referir a esse tipo de exercício, visto que "aeróbico" ficou relacionado a um tipo específico de ginástica.

Algumas pessoas costumam dizer que meu ritmo de treino é tão severo como o de um atleta profissional. Na verdade é. Meu corpo está tão habituado a um trabalho cardiovascular intenso que exige um ritmo forte. Essa carga de exercícios para meu biotipo é estimulante e prazerosa. Ou seja – gosto de agir assim. Durante muitos anos, nossa companhia manteve negócios em Portugal. Pelo menos uma vez por mês eu tomava um avião em São Paulo, atravessava o Atlântico e desembarcava em Lisboa pela manhã. Em vez de ir para o hotel descansar, calçava meu par de tênis, vestia os *shorts* e a camiseta e ia correr à margem do rio Tejo. Aquela aquecida nos músculos tinha um efeito relaxante muito maior do que se tivesse me deitado para esticar o corpo.

Não tenho dúvidas em afirmar: todo mundo, sem exceção, tem muito a ganhar quando decide se dedicar a algum tipo de atividade física. Esse é um dos pilares fundamentais para quem procura uma vida de qualidade. Pesquisas médicas indicam que a prática de atividade física diminui a incidência de cânceres e de problemas coronários. Que, enfim, é o melhor que se pode fazer como prevenção direta na defesa de seu corpo contra a ofensiva de males generalizados. A falta de consciência de algumas pessoas me deixa atônito.

Durante a vida aprendemos várias coisas que tornam nossa existência mais organizada e eficiente. Você certamente tem noções do que fazer para obter o melhor rendimento do motor de seu carro ou de seu computador. Você sabe qual gasolina faz ele deslizar mais macio, e tem consciência de que um antivírus vai proteger seu computador de agentes externos deletérios aos seus arquivos. Mas é capaz de submeter seu corpo a um marasmo absoluto acreditando que lhe dando apenas comida e água ele se incumbirá do resto. Isso sem chegar a detalhes sobre o que e quanto você lhe dá de comida e que tipo de líquidos suspeitos vem ministrando-lhe por anos a fio. Ou seja:

você não sabe o que deve fazer para ter seu organismo em seu melhor funcionamento. Seu corpo é você – ele reflete o tipo de vida que leva, as suas crenças e a sua cultura. Realmente agir assim é uma injustiça, quase uma desfeita com Deus, que criou essa máquina tão fantástica que é nosso corpo. Ele só pede que você faça o serviço básico de manutenção.

Às vezes, e isso vale para muita gente que se exercita, fazemos atividades sem nem bem saber para que servem. Em busca do melhor para mim, informei-me, li muito e fiz tantas coisas no que diz respeito a esportes e atividades físicas que meus amigos médicos costumam brincar dizendo que, quando precisam de uma consulta, vêm me procurar. Então tomo a liberdade de compartilhar com você algumas coisas que aprendi em décadas de cuidados físicos.

"Cuide de seu corpo: você mora nele."

Divido a atividade física em três categorias. O esporte de competição, que pode ser amador ou profissional; o esporte a serviço da saúde e do bem-estar; e o esporte que se presta única e simplesmente ao lazer. Cada um deles tem sua importância e cumpre um papel específico. Entender a essência de cada uma dessas modalidades é importante e permite à pessoa estabelecer com mais clareza os objetivos e as metas que pretende atingir com seu programa de atividades.

Qualquer que seja a finalidade da prática esportiva é essencial que o atleta faça sempre um trabalho de base que lhe garantirá o desenvolvimento de três aspectos essenciais: a força, a flexibilidade e, finalmente, a capacidade aeróbia ou cardiovascular. Não existe ordem de importância. Os três elementos são fundamentais. Ainda que a intenção do exercício seja apenas estética, nunca devemos ser negligentes em relação a esses trabalhos. Como queremos nosso corpo? Queremos que ele seja forte, magro, ágil, flexível e resistente à fadiga? Se é isso o que buscamos, devemos trabalhar para conseguir. O trabalho, sobretudo para quem ainda não o iniciou, pode parecer pesado. Mas o resultado, com toda certeza, vale a pena. E quanto mais fazemos mais queremos fazer.

> *"Sei que há dezenas de desculpas para o sedentarismo, mas pouquíssimos motivos – todos eles de natureza médica – são fortes o suficiente para impedir que se inicie o trabalho físico em qualquer fase da vida. Nem mesmo a falta de tempo pode ser usada como desculpa."*

O fortalecimento muscular é feito submetendo o músculo ao trabalho de sobrecarga e repetições, usando-se para isso pesos ou o peso do próprio corpo. Há vários tipos de exercícios para cada grupo muscular. No meu manual você verá uma série básica que pode ser feita em casa mesmo, sem o uso de aparelhos. Ter músculos fortes é condição essencial, mas não suficiente, para o bom desempenho atlético. Além de força, eles precisam ter flexibilidade e elasticidade, ou seja, precisam ser alongados. Também há exercícios para cada grupo muscular e a maior parte deles, quando feita com afinco, é chata e tediosa. E também dói. Paciência. Por outro lado, é muito bom ver como você, com a prática do alongamento, torna-se capaz de alcançar a ponta dos pés com as pernas afastadas, consegue levantar-se e sentar-se com rapidez e agilidade, sem contundir nada.

Da mesma forma, é fundamental jamais se descuidar do trabalho aeróbio. Qualquer atividade que tire a pulsação de seu ritmo normal, a acelere e a mantenha num ritmo constante por um certo período de tempo será recompensada por muito bem-estar e alguns anos a mais de vida.

Sei que há dezenas de desculpas para o sedentarismo, mas pouquíssimos motivos — todos eles de natureza médica — são fortes o suficiente para impedir que se inicie o trabalho físico em qualquer fase da vida. Nem mesmo a falta de tempo pode ser usada como desculpa. Qualquer pessoa pode reservar pelo menos uma das 24 horas de seu dia para fazer algum programa de exercícios. Pense em alguém que precise cuidar do condicionamento físico e disponha, de segunda a sexta-feira, de apenas uma hora por dia para essa finalidade. Eu aconselharia essa pessoa a dividir o tempo da seguinte forma: três desses cinco dias devem ser dedicados aos exercícios aeróbios — a corrida, a natação ou o ciclismo. Os outros dois devem ser reservados para o fortalecimento muscular e o alongamento.

Parte dos finais de semana pode ser reservada para algum esporte de competição ou de lazer. Uma partida de *squash* ou de qualquer outro esporte de competição tem o poder de tirar da cabeça as preocupações e as tensões naturais do trabalho. O mesmo vale para o futebol, para o vôlei, para o tênis. Os esportes de competição exigem um grau de concentração maior que os exercícios – e não há pensamento ruim que consiga entrar numa cabeça que esteja realmente concentrada em jogos como esses. O importante é você encontrar uma atividade de que realmente goste para poder se dedicar a ela de forma completa.

Se você tiver disciplina para cumprir um programa mínimo como esse, garanto que ao final de algumas semanas estará fisgado. E aí são grandes as possibilidades de nunca mais deixar de praticar esportes. Seu próprio desempenho o estimulará a aumentar a carga de exercícios. Começará caminhando, passará a alternar corrida com caminhada e, em pouco tempo, poderá se tornar um corredor. E se persistir nesse rumo poderá, depois de um certo tempo – por que não? –, viver o grande prazer de disputar uma maratona.

"A regra é simples: para o bem do motor que faz o corpo funcionar, exercícios aeróbios; para o bem dos músculos que nos mantêm de pé, trabalho de fortalecimento; para o bem da cabeça que comanda tudo isso, esporte de competição."

A questão é: como chegar a isso? Qualquer meio que uma pessoa encontre de movimentar o corpo e de acelerar o ritmo dos batimentos cardíacos vai lhe trazer benefícios. Dançar, por exemplo, é um exercício excelente. Subir escadas, andar pela rua, tudo isso pode ser considerado exercício. O importante, no entanto, é ter em mente o seguinte: o método, a disciplina e a regularidade são essenciais para se extrair da atividade física todos os benefícios que ela é capaz de proporcionar. Ao longo dos anos, eu desenvolvi o meu; tudo é uma questão de bom senso para fazer um planejamento, de disciplina para colocá-lo em prática e de flexibilidade para adaptá-lo às mudanças que podem ocorrer em um dia ou outro. Tudo é, com certeza, uma questão de se conhecer e de saber o que realmente importa.

Uso, mais uma vez, meu caso como ilustração. Escolhi iniciar o dia pelas atividades aeróbias porque, ao mesmo tempo que as pratico, posso também fazer minhas orações e pensar nos compromissos que me aguardam nas horas seguintes do dia. O trabalho de base é feito no horário do almoço, porque esse é um momento em que o corpo e a cabeça não estão cansados e não existe a tentação de boicotar o exercício. A noite é reservada para o esporte de competição – no meu caso, o *squash*, porque é uma boa forma de eu me livrar das tensões do dia. E porque o *squash* é diversão. A regra é simples: para o bem do motor que faz o corpo funcionar, exercícios aeróbios; para o bem dos músculos que nos mantêm de pé, trabalho de fortalecimento; para o bem da cabeça que comanda tudo isso, esporte de competição.

Esse é o meu ritmo. Você estabelece o seu. O importante é não ficar parado. Para começar, se você odeia correr, não corra. Nesse caso, meter-se a praticar, por exemplo, a planilha de corrida que acrescentei ao final do livro pode desanimá-lo de chegar a fazer o que realmente gosta. Procure o exercício que mais combine com sua personalidade e adote-o. Isso é fundamental. Veja o exemplo da natação. É um exercício supercompleto, que age sobre todos os músculos do corpo. Praticuei essa atividade durante anos e a abandonei porque ela deixou de combinar com meu temperamento.

Eu nadava dois quilômetros todos os dias. No início dos anos 90, o período mais difícil de minha vida, foi a época em que eu mais nadei. Na hora do almoço, deixava o escritório da companhia e me dirigia ao Clube Pinheiros. Era o tempo de chegar ao vestiário, me trocar, fazer alguns minutos de alongamento, cair na piscina, nadar 40 minutos, tomar banho, voltar ao escritório, comer uma salada e mergulhar novamente nos meus problemas. Dentro da água, eu não conseguia me desvencilhar de minhas preocupações. Com o tempo, me dei conta de que esse exercício, que cabe como uma luva na rotina de pessoas de temperamento mais reflexivo, pode não combinar com a cabeça de um sujeito de mentalidade mais prática. Ou seja: não existe nenhum problema com a natação. Embora continue nadando, hoje prefiro outro tipo de trabalho aeróbio.

"É preciso gostar do que se escolhe, caso contrário vira autoflagelo. Se a primeira atividade que você escolher combinar com seu temperamento e suas necessidades, o prazer e os resultados serão tão evidentes que isso o guiará a conhecer outras práticas."

Minhas preferências, nesse caso, são a corrida e o ciclismo. Acho que são trabalhos menos solitários — e isso, depois das mudanças na minha vida, passou a ser muito importante para mim. Na bicicleta ergométrica e na esteira a pessoa tem sempre a chance de conversar com alguém ou de assistir à televisão enquanto se exercita — e apenas essa possibilidade já faz uma diferença enorme. A corrida ou as pedaladas num parque ou nas ruas são menos solitárias ainda. O movimento dos carros, o barulho da cidade, a visão de outras pessoas correndo – enfim, há muitas imagens e sons que atraem a atenção do atleta.

Minha pretensão não é ensinar o óbvio. A intenção, ao descrever minhas preferências, é apenas enfatizar um detalhe fundamental, ao qual poucas pessoas prestam a devida atenção antes de iniciar um programa de atividades físicas: é preciso gostar do que se escolhe, caso contrário vira autoflagelo. Se a primeira atividade que você escolher combinar com seu temperamento e suas necessidades, o prazer e os resultados serão tão evidentes que isso guiará você a conhecer outras práticas.

Quando falo em resultados, não quero dizer necessariamente tornar-se mais longilíneo, mais forte, enfim, não falo de estética. Isso é mera conseqüência. O benefício mais evidente de um trabalho constante e bem orientado é notado, sobretudo, no sistema cardiovascular, na postura, na segurança dos movimentos. E no funcionamento geral do organismo – oxigenação do cérebro, disposição, sono, intestinos, etc. As pessoas que se dedicam a isso costumam ter um coração mais jovem do que a própria idade. Isso, associado a outros hábitos saudáveis, é fundamental. A caminhada diária, por exemplo, talvez não lhe renda quilos a menos em um primeiro momento (se estiver acompanhada de uma dieta, sim, sem dúvida), mas é um exercício excelente. O mais importante é se convencer de que os diferentes tipos de atividade física são complementares. Um bom condicionamento cardiovascular dá à pessoa condições de um melhor desempenho num esporte de competição. Uma musculatura forte e alongada dá ao indivíduo condições de se sair melhor nos trabalhos aeróbios. É um círculo virtuoso.

Descobri a importância da atividade aeróbia por intermédio do professor Kenneth Cooper, no início dos anos 70. Li seus livros antes que eles fossem traduzidos para o português e comecei a pôr em prática seus ensinamentos. Passei a correr com a finalidade específica de melhorar minha capacidade cardiovascular. Na mesma época, troquei a motonáutica pelo automobilismo. Ganhei provas importantes. Todas essas atividades entraram na minha vida de forma natural. Eu me interessava por um esporte, começava a praticá-lo depois de algum preparo razoável e, em pouco tempo, conseguia um desempenho mais do que satisfatório. Me saí bem em todas as atividades que quis fazer até o dia em que resolvi jogar pólo.

No princípio, eu era um péssimo jogador. A primeira vez que montei num cavalo e tentei jogar uma partida, no campo que meus irmãos haviam construído na Fazenda da Toca, cometi todos os erros possíveis. Montava mal e quase não conseguia acertar a bola com o taco. Para completar, fiz todo tipo de falta, me expus a riscos desnecessários e, pela reação dos adversários, também os coloquei em perigo. Os amigos de meus irmãos reprovaram meu desempenho e passaram a evitar minha presença nos jogos. Sempre que eu entrava em campo para jogar, um deles logo dizia: "Cuidado com o baixinho!" O baixinho era eu (que, apesar do meu 1,80 metro, era bem menor que meus irmãos). Aquilo, claro, mexeu com meus brios. Percebi que precisava me preparar se desejasse mesmo me tornar um jogador de verdade. E está aí algo que, toda vez que acontece, me enche de vontade — um desafio. Provar a mim mesmo que sou capaz de ultrapassar um obstáculo é algo que me mobiliza.

O primeiro passo foi aprender a montar e a dominar um cavalo. Todos os dias, durante mais de um ano, os primeiros raios do sol me alcançavam na pista de treinamento da Sociedade Hípica Paulista. Aos poucos, fui me tornando um cavaleiro muito competente e melhor do que muitos daqueles que me criticavam. Ao mesmo tempo, cuidava de adquirir precisão nas tacadas. Instalei em minha casa um equipamento muito conhecido pelas pessoas que praticam esse esporte. Consiste num cavalo-de-pau, do tamanho de um animal de verdade, com arreio e tudo, instalado dentro de um cômodo especial. As paredes têm mais ou menos 1,5 metro de altura. Daí até o teto, as laterais são protegidas por tela. O piso tem o formato de uma calha, com as laterais mais altas do que o centro. A finalidade é permitir que o cavaleiro, montado, rebata bolas no interior daquela gaiola. As bolas quicam na parede e retornam ao centro do cômodo para serem novamente rebatidas. Todos os dias, eu vestia as calças de equitação, calçava as botas, montava o cavalo-de-pau e me punha a dar tacadas nas bolas. Acertava-as com força, elas ricocheteavam na parede e voltavam para que eu as rebatesse novamente.

Fazia aquilo duzentas, trezentas, quinhentas vezes em seguida. Saía dali com a camiseta encharcada de suor — mas aos poucos fui adquirindo destreza. Não era só isso. Precisava, ainda, me preparar para o impacto que a coluna vertebral de um jogador de pólo tem de suportar ao longo de uma partida. Todos os dias, me deitava numa prancha e fazia cinco séries de cem abdominais. Isso, na época em que se faziam abdominais em prancha, com movimentos largos, muito mais cansativos — hoje em dia, os movimentos são curtos e com os músculos permanentemente contraídos, com resultados mais rápidos. Depois de alguns meses de aplicação, passei a ser considerado um jogador de pólo. Anos depois, conquistei o título de campeão brasileiro numa equipe com mais três jogadores: os irmãos Rafael e Antônio Palma e o velho professor e companheiro José Adão.

A lição que o pólo me ensinou — e que pus em prática no tênis e no *squash* — foi a seguinte: quando você quiser praticar um esporte de competição, deve se dedicar de corpo e alma. Só assim conseguirá extrair dessa atividade todo o prazer e todos os benefícios que ela é capaz de proporcionar. Nesse caso, como em muitos outros, a realização é uma conseqüência direta da dedicação. Em outras palavras, quanto mais eu treino, mais sorte eu tenho.

Na verdade, foi o pólo que começou a me mostrar o papel complementar das diferentes formas de atividade física. Os quinhentos abdominais que fazia todos os dias eram cansativos, mas me deram a consciência de como é bom ter uma coluna vertebral bem protegida por músculos fortes. De modo que nunca me impressionei com as orientações de alguns médicos que até ensinam como se levantar da cama pela manhã para proteger a coluna ou como abaixar para pegar uma caneta no chão. Levanto, sento, deito e levanto novamente sem me lembrar de que tenho costas, porque optei por ter a coluna bem guardada por músculos fortalecidos.

A prática regular de atividades me proporcionou uma vida sem algumas das restrições e preocupações que fazem parte do dia-a-dia de outras pessoas da minha idade. Meu coração é excelente, minhas articulações são ótimas e sou capaz de contar nos dedos de uma das mãos as vezes que, ao longo de minha vida, senti dores nas costas. Por isso tenho tanto entusiasmo ao falar de esportes. O que ganhei com isso? Bem-estar, momentos de alegria e de realização inesquecíveis como a que senti ao terminar minha primeira maratona — ou como a que sinto toda manhã quando acabo de correr meus cinco quilômetros na esteira. É disso que eu lembro quando falo de exercícios — e essa imagem torna inócua a recordação das dores que senti em minhas contusões e até das cirurgias que precisei fazer por causa de minha atividade física. Não me submeti às cirurgias por causa dos esportes — mas para não ter de abrir mão deles.

"Me consultei com o doutor Abilio"

Irenaldo Terto da Cunha, o Duda

Sou garçom da diretoria do Pão de Açúcar há 18 anos. Um dia, o senhor Caio Mattar, diretor do Grupo, me viu mancando e perguntou o que eu tinha. Quando disse que sentia muita dor no joelho, ele me mandou consultar o doutor Abilio.

É engraçado, mas o doutor Abilio é muito ligado na saúde das pessoas. Se ele vê alguém com algum problema, quer logo resolver. Seja gripe, tendão, o que for. Todo mundo que apresenta uma coisa desse tipo aqui, e até mais grave, quando tem a oportunidade, troca uma idéia com o doutor Abilio. Então, lá fui eu.

Na verdade, na época, eu corria por minha conta. Não ia à Academia do Pão de Açúcar: fazia os treinos como dava na cabeça, por minha vontade. Minha mulher me apanhava no trabalho, me deixava na marginal e eu corria algo como seis quilômetros até em casa todos os dias. Mas eu não tinha o preparo correto, praticava corrida sem orientação e acabei causando uma lesão no menisco direito. Contei ao doutor Abilio da dor que eu sentia. Ele fez logo o diagnóstico: "Vá lá na Academia que você precisa fortalecer a musculatura do joelho".

Cheguei na Academia, o doutor Abilio e o Paulo Storti, gerente da Academia do Pão de Açúcar, já estavam me esperando. Os dois olharam meu joelho, analisaram, conversaram e na mesma hora fizeram uma planilha de treinos para mim. Foi muito bom. Também passei na nutricionista da Academia e desde então sigo a alimentação que ela me passa. Tenho colesterol alto e, se não fizesse esses treinos com essa alimentação, seria muito pior do que já é. Meu peso mudou. Por incrível que pareça, hoje peso mais, aumentei uns três quilos com músculos.

Meu treino é assistido. Às segundas, corro de seis a oito quilômetros; às terças, jogo quarenta minutos de squash*; às quartas-feiras, faço musculação; às quintas, tenho* squash *de novo e às sextas eu corro ou faço musculação. Faço sete quilômetros em 35 minutos na esteira. Nunca corri maratona, mas, aos 52 anos, corro o revezamento pelo Pão de Açúcar todo mês de setembro. São oito corredores que completam 42 quilômetros. Dá 5 quilômetros e pouquinho para cada corredor.*

Meu almoço é rápido, porque não gosto de perder meus treinos, das 13 às 14 horas. Primeiro porque é uma coisa que vira vício, sabe? Depois porque, se falto, sei que o doutor Abilio vai ver. Aí, quando me encontra, sempre pergunta: "Você faltou hoje, Duda, o que aconteceu?"

Se ele leva a sério, quem sou eu para não levar também?

"Será que eu consigo?"

Sonia Ponzini

Há um ano e meio dei uma grande virada em minha vida: comecei a pedalar. Pode parecer estranho, mas realmente minha vida mudou radicalmente. Eu antes fazia uma ginástica localizada aqui, uma aula de aeróbica ali, step, esteira... nada muito específico. Não conseguia me programar, faltava às aulas e nunca tinha conseguido grandes resultados físicos, nem adotado nenhuma atividade seriamente.

Até que, há um ano e meio, passei a trabalhar diretamente com o doutor Abilio como secretária executiva. Posso dizer que minha mudança de vida se deu porque fui influenciada por ele e pelo seu exemplo. Via o quanto ele era disciplinado, como conseguia manter as rotinas de treinos diários e pensei: "Vou fazer também". Quando seu chefe tem uma rotina, você também consegue se programar. Além disso, via como ele estava sempre bem-disposto, de bem com seu físico.

Bem, lá fui eu para a Academia. Nunca tinha andado de bicicleta. Não sabia pedalar, porém, incentivada por uma amiga e com o apoio de meu marido, fui aprender a pedalar de verdade, em um fim de semana. Aquilo foi me animando. Enfim, parecia ter encontrado uma atividade física que me dava prazer.

Na Academia, passaram-me uma planilha de treinos. Mas aí tinha aquele problema: levantar cedo. Muito mais cedo do que jamais havia levantado em toda minha vida. Eu pensava: "Será que consigo?" À noite eu nunca conseguia treinar porque já estava cansada. Então tive de escolher de duas uma: ou eu incorporaria meu treino de bicicleta pela manhã ou eu não faria nada. Acontece que, com o treino, me sentia muito melhor.

No começo, acordar às 4h30 para pedalar na Cidade Universitária, em São Paulo, me parecia um sacrifício intransponível. Fisicamente era difícil, meu corpo não respondia e eu ficava zonza de sono. Mas, na segunda semana, aquilo passou a me dar tanto prazer que não consegui mais deixar de ir. Mudei meus hábitos, passei a deitar mais cedo. Não conseguia me imaginar começando um dia sem pedalar minha bicicleta.

Na verdade, descobri um mundo novo e rico, que me fez superar meus limites. Não sou a única que está às cinco da manhã treinando na Cidade Universitária: o campus está cheio de gente fazendo o mesmo que eu ou correndo. É muito animado, sabe? Saio dali, coloco a bicicleta no carro, vou tomar banho na Academia e, às 7h30, começo o trabalho a mil. Animadíssima.

Sigo direitinho minha planilha: terças, quintas e sábados, pedalo na USP, e o resto dos dias revezo um treinamento com musculação, corrida indoor *e corrida na rua. Quando você começa, quer ir além. Eu, que não sabia pedalar há um ano e meio, fiz a prova Extra Distance com colegas do Pão de Açúcar. Quem diria? Trata-se de pedalar por 400 quilômetros com revezamento de quatro equipes. Peguei a estrada São Paulo-Petrópolis e cheguei até o fim, em ótimo estado. Foi uma experiência inesquecível. Agora estou incorporando a corrida ao meu preparo. Já corri a meia maratona em Orlando, na Flórida. Foi muito legal.*

No início pode parecer difícil, mas os resultados são tão compensadores que não consigo mais voltar ao meu velho estilo de vida. Junto com o treino físico procurei a nutricionista da empresa e mudei minha alimentação. Antes, eu pulava refeições, comia até menos do que como hoje. Agora, faço cinco refeições, trago sanduíche ou iogurte para comer entre o café-da-manhã, o almoço e o jantar. Quando digo que minha vida mudou, estou sendo sincera. Meu corpo adquiriu outra forma: perdi cinco quilos, estou com a musculatura definida e a auto-estima lá em cima. Tenho consciência de que consegui tudo isso por estar trabalhando no Pão de Açúcar.

Se não estivesse no Pão de Açúcar, onde, além do estímulo e do exemplo de meu chefe, tenho tudo à mão — a Academia, os profissionais, os aparelhos de ponta —, minha história seria bem diferente. Provavelmente eu continuaria fazendo uma ginástica localizada aqui, uma esteira ali, desanimando e faltando às aulas. É um prazer muito grande perceber que tenho capacidade para ser uma atleta se quiser. Se tivesse me intimidado diante do horário ou do primeiro obstáculo, jamais saberia desse meu potencial, nem me sentiria tão melhor hoje do que me sentia tempos atrás.

Alimentação

"O que engorda não é a exceção, é a regra."

"Em matéria de alimentação, sou partidário das escolhas sábias e do prazer com equilíbrio."

Talvez eu devesse começar este capítulo pedindo desculpas aos *gourmets* e aos que, como muitos de meus amigos, apreciam degustar sabores exóticos, pratos sofisticados com vinhos perfeitos, cardápios variados e consistentes. Gastronomia, já aviso, não é minha praia. Sou do esporte, não da mesa – embora, é bom que se frise, os dois não sejam incompatíveis. Isso não significa que abra mão de alguns alimentos considerados antiatléticos: aprecio risotos e massas e vou jantar fora com minha mulher ou com amigos ao menos uma vez por semana. Mas sou conservador em meus rituais gastronômicos. Quase não compreendo a linguagem espiritual e corporal de comensais que passam horas à mesa, sorvendo cada garfada como se fosse a última de suas vidas, nos seis pratos da noite. Não tenho paciência para isso.

No entanto, seria um engano acreditar que essa falta de fervor para com a gula seja uma das causas para que minha taxa de gordura corporal se mantenha na média dos 6,5% há pelo menos vinte anos. Para ter uma idéia, a média de gordura corporal que se espera para homens adultos é de, no máximo 20%. Os que superam essa marca estão muito mais propensos a desenvolver doenças, altas taxas de triglicérides e colesterol, e doenças como hipertensão e diabetes.

Contudo, adianto àqueles que oscilam entre a culpa e o prazer, que não faço sacrifícios alimentares. Tampouco me abstenho de comer o que quero e o que gosto. Nos fins de semana, na fazenda, me delicio com uma cervejinha, arroz, feijão, picanha, lingüiça, farofa e ainda arremato com doce de abóbora.

Poderia comer mais, é verdade. Muito mais. A quantidade de esportes que faço me garantiria uma reposição de 4 mil calorias diárias. De modo que esse metabolismo me daria o direito de comer tudo o que num momento de fúria faminta me desse na telha. O fato é que não quero comer tudo isso.

"Uma norma que não me canso de repetir: o que engorda é a regra, não a exceção. A contrapartida para poder comer o que se quer é fazer muitos exercícios. Dessa maneira ninguém sente culpa após algum exagero."

Minha relação com a comida não vai por esse viés. Sou metódico e consciente em relação ao que (e quanto) escolho para comer — e acho que é isso, sim, que faz diferença para que eu mantenha a saúde, o baixo colesterol e a porcentagem de gordura de um atleta. Este capítulo tem a missão de semear a idéia da alimentação sem exageros e sem ansiedade. Sobretudo daquele tipo que sobrecarrega o funcionamento de seu organismo e solapa pouco a pouco seu rendimento físico e seu bem-estar. Mas também quero enfatizar a alegria e a importância da alimentação sem culpa. Sou partidário das escolhas sábias e do prazer a um custo-benefício razoável.

Costumo dizer que devemos comer tudo o que desejamos. Mas frituras, gorduras e açúcares devem ser consumidos com mais parcimônia. Aqui vale uma norma que não canso de repetir: o que engorda é a regra, não a exceção. Devorar um *cheeseburger* ou uma feijoada de vez em quando não agrega pneus e colesterol a ninguém. Agora, comer feijoada no almoço e pizza no jantar, com variações igualmente calóricas durante a semana toda, certamente vai lhe custar um preço em adiposidade e degeneração de seu rendimento físico. A contrapartida para poder comer o que se quer, qual é? Fazer muitos exercícios. Mexer-se. Dessa maneira ninguém sente culpa após algum exagero.

Para ter qualidade de vida, costumo dizer que é preciso tomar as rédeas da sua vida, essa afirmativa vale para algo prosaico como escolher o que você coloca no prato e como faz as refeições. Há nesse ato uma certa dose de sabedoria que para muitos só acontece quando a ansiedade do dia-a-dia está totalmente sob controle. Eu mudei minha alimentação pouco a pouco ao longo dos anos. Aos 30 e tantos, eu almoçava com meus filhos em casa e abusava mais de carnes, frituras, gorduras e molhos brancos. Era a comida brasileira, boa e doméstica. Mas eu pensava menos no que deveria comer e no que cada alimento poderia me proporcionar. Depois, quando vivia metade da semana em Brasília, aos 40 anos, era obrigado a almoçar fora com muito mais freqüência do que queria. Nessas ocasiões, muito penosas para mim, colocava no estômago alimentos que me custavam uma digestão mais arrastada e comprometiam meu desempenho nos esportes.

Quando resolvi participar de maratonas, procurei me cercar de informações e profissionais que me ajudassem a melhorar minha *performance*. Assim, acabei chegando ao dr. Antonio Herbert Lancha

Junior. Esse feliz encontro nos rendeu uma forte amizade e a comunhão nas idéias sobre nutrição. Na época, Junior estava fazendo um pós-doutorado nos Estados Unidos e se comunicava comigo por cartas, telefone e por uma *internet* ainda claudicante. Naquela ocasião, estava me preparando para correr a maratona de Nova York. Queria saber qual seria a alimentação correta e quais suplementos eu deveria consumir para ter um melhor rendimento.

Junior desenvolveu um estudo nutricional personalizado para mim a partir de exames e informações que eu lhe enviava, como, por exemplo, minha perda eletrolítica (a quantidade de água eliminada durante os esforços físicos). Eu, particularmente, perco muito líquido durante meus exercícios – um quilo e meio em 45 minutos de *squash*. E isso exige uma reposição balanceada de aminoácidos. Junior organizou não só o que eu deveria comer a mais (fibras, proteínas, lipídios e carboidratos) como me deu dicas preciosas para os esportes e para o dia-a-dia que jamais me abandonaram desde então. Você terá acesso a boa parte delas lendo o manual para mudanças de hábitos no final do livro.

Fazer várias refeições ao dia é uma dessas dicas. De certa maneira, já fazia isso intuitivamente havia muito tempo. Não é saudável ingerir, como a maioria das pessoas que acredita estar de dieta, uma única refeição ao dia. Ou devorar 1.500 calorias de manhã e 2 mil calorias à noite, pulando o almoço. Esse conceito universal de perda de peso é um equívoco. Jejuar é o princípio básico para quem quer engordar.

Quando você submete seu organismo a prolongadas abstinências alimentares, ele entende que deve estocar energia para uma emergência. Assim, o corpo se prepara para situações de pouca comida, absorvendo tudo o que pode em cada migalha que você come, prevendo um longo período sem combustível. Se a atitude se repete, ele se treina para agir assim – estocando gordura.

Imagine alguém lhe dizendo que faltará gasolina no fim de semana. A primeira coisa que você faz, independentemente do que aponta o ponteiro de combustível de seu carro, é encher o tanque. O organismo faz a mesma coisa – ele não quer saber se você comeu muita ou pouca gordura no café-da-manhã. Se ele entende que você vai estressá-lo com pouca comida por um longo período, previne-se e guarda o que puder para que não fique à mingua. E o resultado disso são pneus de reservas de energia – que nos homens se acumulam na barriga e nas mulheres, geralmente, nos quadris.

O segredo para manter o peso sob controle é fazer pequenos lanches ao dia. Minha dieta consiste em cerca de cinco refeições diárias, muito bem balanceadas, compostas por: café-da-manhã, um lanche na manhã, almoço, um lanche à tarde e jantar. A refeição mais generosa que faço – talvez porque seja a que me dá mais prazer – é o café-da-manhã. Nessa refeição, costumo dizer, só paro de comer quando a meia hora que designo para isso se esgota. Não sou um cara de apreciar açúcares e gordura, portanto normalmente não como *bacon*, salame, presunto. Também não uso adoçantes. Prefiro começar o dia, após os exercícios matinais, com uma travessa de frutas que hidratam o organismo, como melão e melancia. Depois, apelo para o que chamo de um "balde" de café com leite ao natural. E ainda, um pãozinho francês e meio com ricota, duas fatias de peito de peru, *cream cheese* e uma fatia de queijo prato para dar mais sabor. Quando dá vontade, tomo iogurte com 0% de gordura – há alguns novos de excelente paladar atualmente – e como cereais.

No meio da manhã tomo um copo de vitamina com suplementos e proteínas feita sob medida para minhas necessidades esportivas e como pão integral com uma barra de fibras. Sei que este último item vai arrepiar muita gente, mas advirto que essas decisões são um tanto quanto pessoais e não devem ser copiadas por quem não gosta delas. Na verdade, cada um deve buscar no quesito dieta as alternativas mais saudáveis, mas também prazerosas para que sejam efetivamente executadas. Caso contrário essas atitudes se tornam um calvário. Você pode organizar seu lanche comendo uma fruta ou um iogurte de baixa caloria ou ainda preferir pão integral *light* e queijo com baixo teor de gordura. Há em mim um lado prático que tenta unir o útil ao suportavelmente agradável. Junior prognosticou que eu ingerisse fibras e para tal me recomendou uma barra de cereal e pão integral. Resolvi o assunto do meu jeito: unindo uma barra de Fibrax entre duas fatias de pão integral. Para mim, isso não é sacrifício – é solução. Mas não deixa de gerar risos em todo o escritório.

Meu almoço é invariavelmente o mesmo: um prato de folhas, tomate, uma fatia de queijo branco *light*, um suco de fruta e uma fruta de sobremesa. Almoço no escritório mesmo, trato apenas de me ajeitar em uma outra sala mais reservada. É um momento que aproveito para ler mais jornais e tirar um cochilo de 20 minutos a meia hora. Esse *break* é revigorante. É algo tão importante quanto o que como e os exercícios que faço. Sono é algo precioso para mim: durmo muito menos do que deveria. Esse cochilo é algo como estar correndo a 11 quilômetros por hora e baixar a velocidade para oito. Você ganha fôlego para o resto do dia e produz muito mais.

Há profissionais que não se permitem uma parada para si mesmos durante o dia – acreditam que parar é perder tempo. Tolice pura. Sair do escritório, prosseguir falando de negócios no almoço e voltar para uma reunião em seguida não agrega nada à saúde ou à carreira. Está comprovado cientificamente que paradas durante o dia melhoram sua capacidade de raciocínio – e, se bem usadas, podem melhorar seu físico. Faço isso já há muito tempo e, recentemente, tive acesso a uma pesquisa feita na London School of Economics que comprova a eficiência de meu empirismo. A pesquisa selecionou dois grupos de executivos para testar seu poder de estafa e concentração diante de uma tarefa – montar um quebra-cabeça. Um grupo deveria ser liberado da sala somente quando tivesse concluído a tarefa. Sem paradas. Ao outro grupo, ao contrário, foram permitidos intervalos a cada duas horas, nos quais eles eram "submetidos" a refeições leves. Resultado: o grupo de executivos que fez pausas resolveu o quebra-cabeça em 40% do tempo do outro que se debruçou por longas horas sobre a tarefa. A explicação para isso não se justifica apenas na parada estratégica acompanhada por uma refeição leve, mas no fato revigorante que é sair de um mesmo ambiente, espairecer por um momento e voltar a atenção para outro tema.

Após a jornada de trabalho vespertino com mais um lanche, finalmente fecho minha agenda. No começo da noite pratico mais uma atividade física na academia. Aí, sim, vou para casa e janto com um pouco mais de regalo – mas sempre dentro dos meus parâmetros, como já disse, e não dos de um *gourmet*. Guardo para o horário noturno o momento para pratos um pouco mais elaborados, até por questões sociais. E digo mais: nas noites de domingo, normalmente como pizza.

Meus lanches são de um modo geral regados a suplementos de vitaminas e sais minerais. Mas não é recomendável que se usem essas substâncias sem orientação e prescrição médicas. Tenho preparo de atleta e as utilizo de maneira pontual. Já tomei 10 gramas de vitamina C por dia, por minha conta e risco. Na época em que Linnus Pauling recomendava altas doses de ácido ascórbico como saudáveis, li tudo a respeito e segui os conselhos. Mas descobri posteriormente que estava errado, porque muita ingestão de vitamina C pode sobrecarregar os rins e gerar cálculos renais. Sob orientação, tomo complexo B, vitamina C e vitamina E. Na verdade, com exceção das doses comerciais dos multivitamínicos, não se deve acreditar que vitaminas são inócuas. Em 1998, para aumentar as doses de vitamina E em minhas receitas, procuramos o dr. Jeffrey Blumberg, da Tufts University — Boston — um especialista no assunto. Vitamina E, olhada à distância, é um poderoso antioxidante inibidor do desenvolvimento dos radicais livres, que envelhecem as células, mas vista com lupa é uma substância que, se administrada em altas doses, pode causar acúmulo no fígado e alguns problemas de saúde.

De um modo geral, deve-se tentar suprir todas as nossas necessidades a partir de uma alimentação saudável, colorida e variada. Mas não gorda ou supercalórica, necessariamente. Essa afirmação me leva a outra, que derruba mais uma das usuais regras das dietas. Uma pessoa que quer perder peso fica tentada a cortar massas e carboidratos de suas refeições. Tende a diminuir ou cortar o arroz, pão e massas, porque esses alimentos são os que fazem volume numa refeição. Trata-se de um erro. Esse volume representa um valor agregado de energia muito baixo. Então, se você comparar, um bife de 60 gramas tem 100 calorias; já três colheres de arroz têm 80 calorias. Vale muito mais a pena cortar o bife do que o arroz. O arroz fornece uma energia que é utilizada facilmente pelos músculos. Já a gordura está pronta para ser estocada. O custo dessa operação é baixo e muito eficiente.

A maioria dos especialistas em nutrição é radicalmente contra a dieta de Atkins, que enfatiza o consumo de gorduras e proteínas. Por quê? Porque o que precisamos de proteína para viver é muito menos do que julgamos. Muita gente acha que para ficar forte e aumentar a massa muscular deve ingerir proteínas. Não é verdade. O carboidrato também aumenta a massa muscular. Os carboidratos só oferecem perigo para a balança quando estão mal acompanhados. Comer espaguete ao sugo, com molho vermelho e pouco azeite, é diferente de comer espaguete aos quatro queijos ou nadando no alho e óleo. Estes últimos têm muita gordura, um combustível que exige muito mais esforço para ser queimado.

Conhecendo alguns desses elementos básicos do metabolismo de nosso corpo, você pode tomar decisões mais benéficas para si mesmo na hora da refeição. Optar por alimentos *light* e *diet*, por exemplo, é uma dessas decisões simples de grande impacto. Talvez eles não tenham aquele sabor exuberante de uma comida com toda a sua gordura e todo o seu açúcar, mas, atualmente, a grande maioria dos produtos dessas linhas é bem agradável ao paladar e oferece um ganho tremendo. Além do mais, tudo é uma questão de hábito. Ganhamos e perdemos hábitos ao longo da vida. Você pode ser uma pessoa que deteste alface e tomate e goste de pastel, croquete e outras comidas que passam boa parte de sua vida útil nadando em óleo. Isso não significa que não possa tentar mudar seus gostos. Pode — e isso é sinal de maturidade. O que vai acontecer é que, depois de algum tempo comendo comidas saudáveis e leves, é muito provável que seu paladar já não vibre tanto com comidas gordurosas e seu organismo reaja mal a elas.

Não há dúvida de que o fato de você se sentir sempre bem, leve e disposto após as refeições contribui definitivamente para a reorganização de seu cardápio. Seu organismo lhe agradece cada decisão certa tomada à mesa. Você rejuvenesce, seu organismo funciona melhor, sua pele melhora. Em certa ocasião, estava em um hotel com amigos. No cardápio, um desestímulo para mim: só pratos puxados na manteiga, *prime ribs* ensopados em molho branco e maionese. Que opção fazer? Chamamos o garçom e pedimos um prato que qualquer hotel do mundo é capaz de executar: macarrão, molho de tomate básico e manjericão. Foi o que comi naqueles dias. Qualquer outra coisa acabaria comprometendo minha disposição, meu rendimento e meu humor.

O que isso mostra? Mostra que, em determinado momento, você começa a julgar os alimentos não só pelo sabor, que é o julgamento mais primitivo que o ser humano consegue fazer. Não que você tenha de abrir mão do sabor. Mas, na verdade, no momento em que você começa a conhecer melhor o valor, os prós e os contras do alimento, ele passa a ter um custo-benefício mensurável, ou seja, ele tem de valer mais a pena do que inicialmente valia pelo sabor. Se um alimento não vai fazer bem a você, não tem um sabor excepcional, então para que comê-lo? Se eu quero tomar um sorvete, vou procurar tomar o que eu gosto mais, não qualquer sabor.

Essa idéia de fazer escolhas com custo-benefício mensurável, ao contrário de exigir sacrifícios, requer apenas bom senso. Daí serem totalmente contraproducentes os radicalismos alimentares. O importante é a variedade e o equilíbrio. Tempos atrás resolvi eliminar as carnes de minha vida. Fui radical: me privava de carnes mesmo quando desejava comer de vez em quando. Parei com essa bobagem de tudo ou nada. Se eu comer muita carne me sinto pesado, meu organismo reclama, mas não é por isso que vou eliminar toda carne para sempre. Ser flexível é fundamental. A cervejinha de vez em quando é importante!

Não podemos esquecer que vivemos em um mundo com horários e situações que nem sempre podemos escolher. Isso me faz lembrar de um episódio pitoresco que aconteceu comigo e com o Junior, em Nova York. Ele estava passando por lá, eu participava de uma convenção. Combinamos de nos encontrar rapidamente na hora do almoço. Teríamos apenas uma hora. Minha idéia era comer num restaurante perto do local onde eu estava, para ganhar tempo. Resolvemos ir um pouco mais longe, para comprar material esportivo. O tempo acabou ficando curto. No final daquele passeio, a única opção rápida e eficiente que nos restou foi entrar na primeira lanchonete McDonalds que encontramos. Comemos de pé. O meu sanduíche, de frango. O dele, de peixe. Com direito a batatas fritas e Coca-Cola *Diet*.

Se fôssemos radicais, teríamos passado fome.

♦

"192 batimentos por minuto"

Andréa Cavalcante Arraes

Sou pernambucana, morava em Brasília e vim para São Paulo há dois anos. Meu marido trabalha no Pão de Açúcar e, como sou professora de inglês, comecei a treinar conversação com o Abilio.

Dizem que paulista trabalha demais, e é verdade. Eu, que era uma nordestina bem tranqüilinha, aos poucos fui me tornando um modelo de workaholic. *Passei a dar cada vez mais aulas, tornei-me coordenadora de uma escola de inglês e quando vi estava trabalhando 14 horas. Se fosse só isso, já seria ruim, mas tem mais.*

Comecei a tratar meu corpo mal que só vendo. Pulava todas as refeições do dia e me mantinha com barras de chocolate e fast food *nos horários mais estapafúrdios. Além disso, sempre fui sedentária. Com a vida corrida, a alimentação péssima e o* stress, *em pouco tempo eu estava totalmente debilitada. Comecei a sofrer crises de hipoglicemia. Tinha uns apagões, dava umas desmaiadas "básicas" quase diariamente. Todo mundo já sabia, eu já tinha até me acostumado com isso. Não me passava pela cabeça, no entanto, dar um basta naquele estilo de vida. A gente vai tocando a vida, sendo levada pelos compromissos, pela pressa. Aceita que as coisas são assim e a situação vai piorando dia a dia. Cheguei a ponto de não conseguir subir uns degrauzinhos de nada sem ficar palpitante e exausta. Tudo era um sacrifício.*

Apesar de eu ter uma aparência saudável, porque sou magra, meu cabelo caía. Acho que o Abilio notou que eu não estava bem. Passou a me aconselhar e acabou mudando totalmente minha vida e minha saúde. Para começar, ao perceber que eu estava péssima, colocou à minha disposição a equipe de especialistas da Academia do Pão de Açúcar para me orientar e me diagnosticar.

Marquei hora e fui fazer o teste ergoespirométrico, recomendado aos novos alunos. Pelas caras do preparador e do médico ao verem meus resultados, deduzi que certamente aquele tinha sido o pior exame que eles já tiveram em mãos. O Abilio fez questão de fazer meu teste chegar até ele e ficou chocado com o que viu: em um minuto de esteira, meu coração subiu para 192 batimentos cardíacos. Era como se eu tivesse corrido uma maratona em um minuto. Meu preparo físico era menor que zero. Aos 39 anos eu estava acabada.

Fizeram um programa de alimentação e treinamento sob medida para mim. Adotei aquilo também motivada pelo exemplo do Abilio, que tem uma disposição e uma vivacidade impressionantes. Após quatro meses, tinha incorporado uma série de mudanças de hábitos. Hoje já consigo caminhar com a esteira inclinada por 40 minutos. Nem acredito que sou eu que faço isso!

Minha pele, meu cabelo, meu corpo, minha disposição... tudo melhorou sensivelmente. Estou empolgadíssima. Agora me alimento a cada três horas, não como gordura, respeito os horários de almoço religiosamente e, mais ainda: às sete horas da noite fecho minha agenda e vou fazer meus exercícios.

Devo este bem-estar ao Abilio, que sugeriu tudo suavemente, não impôs nada, apenas movido pelo amor que ele tem pelo ser humano. Ele me fez entender de maneira carinhosa que eu era a única pessoa que poderia mudar aquele quadro de decrepitude em que me encontrava.

Se eu soubesse que em um período tão curto poderia fazer tanta coisa por mim, teria feito antes. Sinto-me outra pessoa, muito mais jovem e disposta. Tanto que nunca me esquecerei das primeiras férias que tirei sob meu novo estilo de vida: pela primeira vez na vida fiz questão de colocar na bagagem um par de tênis de corrida. Dá para crer?

A Vida sem *Stress*

"Seja o condutor – nunca o passageiro – do carro da própria vida."

Entre as condições que considero essenciais para uma vida de boa qualidade, a única que não está inteiramente sob seu controle é o fim do *stress*. Esse inimigo é poderoso e cheio de artimanhas. Age quase sempre de forma sorrateira e, quando nos damos conta, já nos dominou e nos envolveu numa situação difícil. Mantê-lo à distância é bem mais complicado, por exemplo, do que praticar uma atividade física ou do que ter uma alimentação equilibrada – hábitos igualmente fundamentais para quem busca uma vida saudável.

A vida corrida nas cidades, as exigências profissionais cada vez mais pesadas, as fases de aperto financeiro, as cenas de violência que presenciamos na rua... Há inúmeras situações alheias ao nosso controle que podem nos levar ao *stress*. Dito assim, você poderia me perguntar: "Bom, então não tem solução?" Tem. Tem solução, sim. Também contra o *stress* você deve ter atitude. A atitude emblemática, que engloba todas as ações que abordo neste livro, resume-se bem na seguinte imagem: seja o condutor, nunca o passageiro, do carro de sua vida. Essa frase sintetiza, com clareza, a maneira como passei a encarar o mundo depois de superar os acontecimentos mais difíceis que enfrentei. Ela quer dizer o seguinte: cada um de nós é capaz de orientar sua vida na direção daquilo que deseja. Ser o motorista desse carro, no final das contas, significa exercer o direito de escolher que rumo seguir, o que fazer e a que velocidade andar. É, no fundo, aquela autonomia que todos nós perseguimos. Desde que compreendamos bem o significado – e os limites – dessa frase, todos podemos fazer o papel desse motorista.

Considero fundamental uma reflexão a respeito de nossas possibilidades de conduzir esse carro – e digo de cátedra que elas são sempre maiores do que imaginamos. Você talvez diga que posso dirigir como quero porque sou presidente do conselho de uma empresa. Não é verdade. Não estou falando de exercer poder sobre os outros – o que é sempre relativo, mesmo sendo dono do negócio: nas relações empresariais, alguém ou algo sempre exerce força sobre você. Estou falando, em última instância, de exercer poder sobre si mesmo. De ouvir o que seu corpo e seu espírito pedem que faça. Quer dizer: é saber o que é importante e se permitir chegar o mais próximo possível das suas prioridades na vida. E isso não significa só trabalho. Trabalho é importante – você deve fazer algo que lhe dá prazer, ou do qual você extraia satisfação. Mas não falo só disso. Na verdade, há muitas outras coisas na vida que devem ser levadas em conta e que precisam estar ajustadas aos seus desejos. De modo geral, passamos boa parte do tempo nos sabotando para não concluirmos nossas prioridades: dando desculpas para o trânsito que nos perturba, reclamando que o trabalho nos azucrina e que temos pouco tempo para fazer o que queremos. Diante de tantas frustrações, vem o *stress*. E, no entanto, a única pessoa que pode mudar esse quadro é você.

Se você tem a capacidade de dirigir o carro de sua vida, pode direcioná-lo para o que e onde quer. Portanto, se é para falar de poder aqui, lá vai: você **pode** mais do que as outras pessoas, as que andam no banco do passageiro. Nessa posição, você se desvia de boa parte das situações que causam aborrecimentos. E o que isso tem a ver com *stress*? Quando você identifica fatores causadores do *stress* e consegue dominá-los, sua vida se torna bem mais leve. Você se desvia deles, como se desvia de um engarrafamento.

> *"Passamos boa parte do tempo nos sabotando para não concluirmos nossas prioridades. Diante de tantas frustrações, vem o* stress. *E, no entanto, a única pessoa que pode mudar esse quadro é você."*

Stress é um assunto sobre o qual, contra a minha vontade, posso falar com autoridade. Minha vida foi, até uma determinada época, um amontoado de situações complicadas e estressantes. Com minha família, com minha empresa e com o mundo. Felizmente, não há mal que sempre dure — sobretudo quando agimos com afinco para eliminá-lo de nossa existência. Além de trabalhar pesado para superar as dificuldades materiais enfrentadas pela companhia, procurei ajuda médica, passei a me conhecer melhor e a encarar o mundo de uma forma diferente — mais positiva, mais otimista, menos complicada. O importante, em primeiro lugar, é você ter consciência de onde vem seu *stress*, para evitá-lo, torná-lo menor ou prevenir-se.

Quando me livrei de todo aquele pesadelo, passei a refletir sobre os fatos que me causavam *stress*. Depois de ter superado o pior e de sobreviver a causas estressantes reais, o que, afinal, teria o poder de me deixar com os nervos à flor da pele? Com o quê, afinal, valia tanto a pena me estressar depois de ter sobrevivido a um seqüestro, à bancarrota e a brigas familiares? Nada, claro. Portanto, eu devia mudar minha relação com aspectos fundamentais de minha vida, como a maneira pela qual me relacionava com o mundo. Então, decidi: naquilo que dependesse de mim, naquilo que estivesse ao meu alcance, eu faria de tudo para manter-me o mais próximo possível da serenidade. Isso é uma atitude de quem procura ser o condutor do carro de sua vida. A questão óbvia era que eu não tinha um condão mágico para manter todas as situações desagradáveis distantes de mim. Mas precisava encontrar uma maneira de manter-me longe delas. Como?

De um modo geral, não custa dizer, sempre fiz tudo o que os manuais apontam como a maneira mais eficaz de tirar o excesso de peso de nossos ombros. Refiro-me àqueles antídotos naturais que nunca devem ser desprezados: sono regular, atividade física constante e bem planejada, alimentação controlada. Sou atleta há anos e nunca fui de dormir tarde. Jamais abusei do álcool, sempre me alimentei bem e com moderação; e o único cigarro que fumo quase toda noite não chega a me causar danos.

E foi aí que, de tanto pensar em me manter distante do que me tirava do sério, me dei conta de um detalhe: minha principal fonte de *stress* não eram os meus hábitos mais visíveis — todos saudáveis. O problema era meu, não do mundo cruel lá fora. O *stress*, concluí, existiria em quaisquer circunstâncias — estivesse eu com problemas financeiros ou não; tivesse a família contra ou não — porque cabia a mim dar o devido peso às coisas e torná-las dignas de me tirarem do sério. Sendo assim, eu é que devia eleger o que era importante a ponto de merecer minha tensão. E eu queria, a partir daquele momento, que o mínimo de coisas tivesse essa propriedade.

Portanto vai aqui outra lição que tirei de tudo isso e que exponho a você: para controlar o *stress*, é preciso, antes de mais nada, separar o que é importante do que não é importante. Isso parece simples, mas não é. Muito do que você faz nas 18 horas em que está acordado é absolutamente inútil. Não agrega nada a você. Ao contrário, tira energia de seu dia, toma seu tempo, consome sua atenção, tira-o do rumo. Mas você nem percebe, faz automaticamente, trombando com coisas pequenas e chatas: percorrer quilômetros por dia de carro no trânsito, deixar-se levar por uma necessidade de pressa permanente, fazer as refeições em um lugar feio ou barulhento. Há tantas coisas, tantos detalhes.

Uma sugestão que lhe dou é: cuide de sua agenda. É possível organizar seus horários de maneira que sobre tempo para você? Claro que sim, desde que haja organização. Tente compartimentar suas atividades sob a indicação de prioridades alta, média e nula. Se você conseguir eliminar as inutilidades, certamente sobrará tempo para você fazer o que julga ser de prioridade alta. Por exemplo: você precisa mesmo falar pessoalmente com alguém? Não dá para falar por telefone? E mesmo que seja por telefone, educadamente não dá para ser uma conversa curta e objetiva? Canso de ver pessoas espremidas pelo tempo, incapazes de se desvencilhar de um telefonema! Nesse caso, o celular ajuda ou atrapalha? Ajuda. É mais uma comodidade da tecnologia. Mas também com ele temos de saber dizer NÃO: "Desculpe, falo mais tarde com você, agora estou ocupado". Muita gente fica se queixando, pondo a culpa no celular, dizendo que não tem tempo para nada, que o celular não pára de tocar. Desligue-o em determinados momentos e seja objetivo nas suas conversas. Organize-se. Assim lhe sobra mais tempo para, após o almoço, passar numa livraria, olhar vitrines ou sentar num banco de jardim. Conceda-se minutos de contemplação e calmaria no dia-a-dia. Eu, como já disse, após comer minha salada na hora do almoço, recosto por alguns minutos e me desligo.

Outro ponto. Quando, no seu cotidiano, você se estressa? Quando percebe que não conseguirá cumprir tudo o que exigem de você. Ou quando há tanto a fazer que você não consegue atender às prioridades – como fazer seus exercícios ou ir à reunião de seu filho na escola. Lembro que, na busca por uma solução *anti-stress*, refleti com atenção sobre meu temperamento. Vi o que fazia certo e o que fazia errado e entrei numa espécie de acordo comigo mesmo: se quisesse guardar distância do *stress* e impedir que pequenas questões se transformassem em monstros, deveria encarar a vida de uma maneira mais positiva.

"Depois que pus em prática a decisão de não mais me aborrecer com os pequenos problemas descobri como é grande nossa capacidade de transformar obstáculos minúsculos em muralhas intransponíveis."

Não poderia permitir que contrariedades menores afetassem meu bom humor. Não poderia, muito menos, querer impor o meu modo de pensar a todo mundo. Deveria procurar enxergar as coisas pelo lado positivo – sem, é claro, cultivar ilusões nem virar as costas para problemas que exigissem minha atenção. Isso talvez já fosse suficiente para produzir mudanças significativas na minha qualidade de vida.

Depois que pus em prática a decisão de não mais me aborrecer com os pequenos problemas descobri um detalhe preocupante: como é grande nossa capacidade de transformar obstáculos minúsculos em muralhas intransponíveis. Normalmente, nos irritamos com situações absolutamente corriqueiras, das quais poderíamos nos livrar com a simples decisão de escolher aquilo que tem e aquilo que não tem o poder de nos contrariar. Falo de questões banais. Quer o exemplo de uma? Que casal jamais discutiu por motivos fúteis como a que filme assistir no final de semana ou em que restaurante jantar? Esse é o tipo de discussão que pode ser eliminada de nossas vidas com a simples decisão de não nos deixar abater por isso.

Discussões por razões tolas como essas são mais freqüentes do que imaginamos e são capazes de causar *stress* num nível muito elevado — e absolutamente desproporcional à sua importância. É diante de situações como essa que eu insisto: todos temos, de alguma maneira, o poder de escolher aquilo que pode e aquilo que não pode nos irritar. No passado, eu me deixava incomodar por discussões dessa natureza e não cedia um milímetro nos debates. Decidi que situações desse tipo não deveriam merecer nem mais um segundo de *stress* na minha vida.

Parece simples demais — e é para ser mesmo. Falsos dramas, que podem ser evitados a partir da decisão de não nos deixar cair em armadilhas, podem ser encontrados em todos os ambientes que freqüentamos. Eu, você, seu vizinho, já discutimos com estranhos em filas de cinema, nos atracamos com bobagens no trabalho, que, olhando friamente, eram estúpidas demais para serem levadas a sério. Pense no gosto amargo que deixam na boca depois do confronto. Pense na eventual vergonha que poderá sentir quando descobrir que você discutiu por algo que não passava de um mal-entendido. O *stress* já fez sua marca, você já ficou mais desgastado. Se você tivesse o poder de voltar atrás e se, naquele momento do tudo ou nada em que falamos a palavra que expressa raiva, você desse de ombros e seguisse com sua vida, teria se sentido melhor.

Tente se lembrar das últimas situações que o deixaram irritado. Você notará que a grande maioria delas poderia ter sido evitada com a simples decisão de impedir que uma pequena divergência o pegasse, ganhasse espaço em seu corpo e o tirasse do sério. Afinal, o que é tão importante assim?

Não convém permitir que motivos banais se prolonguem dentro de você e se tornem sentimentos desagradáveis. E isso, como eu já disse, depende apenas de uma decisão sua, da maneira como você conduz seu carro da vida.

Vamos pensar juntos. Se eu tivesse de eleger o principal elemento gerador do *stress*, aquele que é causa ou pretexto para a maioria dos problemas que as pessoas carregam no seu dia-a-dia, eu não teria dúvida em apontar: a forma de lidar com o tempo. Isso mesmo. Aprender a administrar o próprio tempo e a organizar a agenda de maneira prática e racional é um passo fundamental para quem pretende se manter afastado do *stress*.

Depois que me dei conta da relação entre o bom gerenciamento do tempo e o controle do *stress* ficou muito mais fácil evitar uma série de pequenos aborrecimentos. Administrar o tempo é o tipo da possibilidade que está aí, diante dos olhos de qualquer um — mas que poucas pessoas trabalham para alcançar. Muita gente considera os problemas causados pela má administração do tempo uma espécie de fatalidade e, ainda por cima, sai procurando culpados pelos transtornos causados exclusivamente pela própria desorganização. Quer um exemplo?

O trânsito carregado transformou-se numa fonte inesgotável de irritação. Estar dentro de um carro é para muita gente sinônimo de afobação, de esgotamento ou coisa pior. A verdade, no entanto, é que ninguém perde a paciência por causa do trânsito. Você se irrita porque está atrasado, porque tem alguma coisa a fazer e porque sabe que não chegará a tempo em seu destino. E o impressionante é que muitas vezes somos nós mesmos – e não o trânsito – os causadores de todo o atraso.

Você ganha mais se, em situações normais, reservar tempo suficiente para o trajeto entre seu escritório e o endereço de um determinado compromisso. O que fazemos? De um modo geral, deixamos para sair quando faltam poucos minutos para o início da reunião. Todo mundo parece acreditar que pode sair um pouco atrasado sem qualquer problema. E que, no final da história, conseguirá recuperar no trânsito o tempo que perdeu ao retardar a saída. Quase sempre acontece o contrário: o trânsito não coopera e o atraso causado não pelos engarrafamentos, mas pelo mau gerenciamento do tempo, traz chateação e causa muito mais *stress* do que deveria. Não custa nada refletir sobre o verdadeiro culpado por esse tipo de situação – e sair mais cedo.

Como não é possível consertar o trânsito de uma cidade como São Paulo com um simples estalar de dedos, o melhor é aprender a lidar com ele. Basta prever e anotar o tempo necessário para o deslocamento. Crie o hábito de escrever na agenda, com todas as letras: deslocamento para a reunião com fulano de tal. Organizar a agenda de forma eficiente exige uma certa ciência.

É preciso levar em conta não só o tempo que será gasto nas tarefas principais, nas reuniões e nas providências mais importantes. É necessário considerar também o deslocamento, a pausa para o lanche no meio da tarde, a leitura dos jornais e mais uma série de situações que, de um modo geral, não nos parecem importantes o suficiente para merecer um apontamento em nossa agenda. Não parecem, mas tomam tempo da mesma forma.

> *"Eu adoro minhas rotinas. Afinal, sou eu mesmo que as faço."*

Anotar um compromisso atrás do outro e se esforçar para dar conta de todos ao longo do dia é uma utopia. Quem age assim transforma a missão de cumprir toda a agenda em mais um elemento gerador de *stress*. As palavras-chave para a boa administração do tempo são organização e disciplina – e é em torno delas que gira todo o resto. É necessário constatar o seguinte: ninguém deve incluir na agenda mais compromissos do que ela comporta. Em matéria de gerenciamento do tempo, assim como em muitos outros campos importantes da vida, ninguém deve tentar colocar doze numa caixa de seis. Quando você diz isso a uma pessoa, ela concorda, mas você vira as costas e ela pensa: "Claro, doze não cabem, mas vou dar um jeito de encaixar oito". E assim ela se enrosca do mesmo jeito. Numa caixa de seis, só cabem seis. Ponto final.

O que isso significa? Muito simples. Ao organizar a agenda é preciso acomodar cada reunião, cada tarefa em seu devido espaço e ainda deixar intervalos razoáveis entre um compromisso e outro. Esse tempo, o do intervalo, será usado para retornar os telefonemas, para resolver pendências e até para ir ao banheiro ou se permitir relaxar alguns minutos no meio da correria. O mais importante de tudo, no entanto, é que esses espaços mais longos entre um compromisso e outro funcionam como uma espécie de amortecedor: se aparece uma situação de emergência que precisa ser resolvida, a pessoa poderá dedicar tempo a ela sem precisar desarticular todo o seu dia.

Aqui vai mais um conselho importante em matéria de gerenciamento do tempo: programe-se com a maior antecedência possível. Começo o ano já com uma idéia de alguns pontos importantes da minha agenda ao longo dos doze meses seguintes. Pela posição que ocupo numa empresa de grande porte, com sócios estrangeiros e parceiros em diversas partes do mundo, tenho de marcar alguns compromissos com enorme antecipação. Algumas de minhas reuniões, sobretudo aquelas que exigem grandes deslocamentos ou que envolvem encontros com pessoas com obrigações semelhantes às minhas, são agendadas meses antes da data. Isso, claro, para os casos especiais. De um modo geral, não é necessário tanta antecipação. Os especialistas em administração do tempo acreditam que uma semana de antecedência é suficiente para se fazer um bom planejamento.

Existe uma razão básica para isso: se você deixa para programar sua vida com apenas um dia de antecedência, pode ter a noção de que aquele espaço de tempo é insuficiente para dar conta de tudo o que precisa ser feito. Essa sensação desaparece quando se consegue distribuir os compromissos ao longo de um período mais extenso. A programação deve incluir tudo o que se pretende fazer ao longo da semana — não apenas os compromissos profissionais. É bom anotar a hora da ginástica, a hora do cinema, a hora do encontro com os amigos. A partir do momento em que você se habitua à rotina de administrar o próprio tempo, a agenda se transforma numa espécie de bússola: passa a apontar naturalmente o caminho que deve ser percorrido para tornar os dias mais proveitosos.

Na nossa empresa, damos muita importância a programas que possam melhorar a capacidade de gerenciar o tempo de nosso pessoal. Nos anos 90, no período em que trabalhávamos na reconstrução do Pão de Açúcar, tivemos conhecimento do livro *Os 7 hábitos das pessoas altamente eficazes*, de Stephen R. Covey. Nós nos identificamos tanto com suas idéias que, ao saber que o Instituto Franklin Covey, de Salt Lake City, nos Estados Unidos, havia desenvolvido uma metodologia destinada a ensinar os *sete hábitos* a executivos, logo procuramos uma maneira de levar esse conhecimento à gente do Pão de Açúcar.

Como ainda não havia no instituto profissionais licenciados para ministrar o curso em português, encontramos outra solução. Dois dos nossos executivos de Recursos Humanos viajaram para os Estados Unidos para conhecer o curso e multiplicá-lo na organização. Os hábitos desenvolvidos a partir desse treinamento são realmente úteis para quem pretende ter controle sobre essa variável fundamental.

Alguns dos sete hábitos dizem respeito direta ou indiretamente ao controle do tempo e à organização da agenda. De um modo geral, o método mostra a importância de elegermos nossas prioridades e, a partir delas, definirmos as tarefas que, de fato, terão importância para nós. Além disso, mostra como as atividades supérfluas e acertadas em cima da hora costumam embaralhar o dia.

Defendo com convicção uma idéia que, à primeira vista, pode causar um certo espanto, caso você tenha uma atitude mais relaxada em relação à idéia de controlar o tempo. Muita gente acredita que o verdadeiro dono do tempo é aquele que leva uma vida sem horários, sem rotinas organizadas — e que é a falta de compromissos acertados com antecedência que garante o direito de fazer o que quiser na hora que bem entender. Alguns chegam ao absurdo de dispensar o uso do relógio, como se esse instrumento de marcar horas fosse uma máquina diabólica que os mantivesse presos a compromissos desagradáveis. Essas pessoas consideram impossível ser felizes com um relógio preso ao braço.

Garanto a você: isso é tolice. Quanto mais você domina o tempo, mais pode manipulá-lo a seu favor. Mais ele lhe pertence. Isso sim – e não ser um empresário bem-sucedido, um artista famoso ou um cientista ganhador do Prêmio Nobel – é ter sucesso. Costuma-se dizer que Deus quando criou o mundo deu o mesmo quinhão de tempo para cada um de seus filhos – e a liberdade para que cada um o usasse como bem entendesse. O que cada um fez com seu tempo é que gerou a desigualdade entre os homens.

A programação e a agenda organizada são, é claro, a parte mais aparente de uma série de atitudes e de decisões que tomamos quando percebemos a importância de definir nossas prioridades. Uma agenda só será eficaz – e só teremos a disciplina necessária para cumpri-la – se for preenchida com atividades das quais precisamos ou queremos fazer. Essa palavra – prioridade – é fundamental.

Vou mais longe. Acredito que alguém só consegue ter uma vida feliz – e, portanto, de qualidade – quando se dá ao trabalho de olhar para dentro de si mesmo e de se conhecer a ponto de definir quais são suas prioridades. É com base nelas, volto a dizer, que se estabelecem as rotinas. Eu adoro minhas rotinas. Afinal, sou eu mesmo que as faço! Se você faz as suas, vai adorá-las também.

É fundamental, no entanto, não perder a flexibilidade – até para ser possível alterar as rotinas segundo as próprias conveniências. Costumo jantar fora às quintas-feiras. E se eu quiser jantar fora também em uma terça? Claro que posso. Claro que sim. O que eu pretendo mostrar aqui é o seguinte: quem tem uma agenda organizada e disciplina suficiente para cumpri-la faz o que quer na hora que escolhe. Pode ser que exista gente muito competente que consiga fazer tudo aquilo de que gosta e precisa sem se organizar. Para as pessoas normais, repito, ter as rotinas bem definidas e a agenda em ordem é fundamental. Isso implica também dizer não. Alguém aparece com algo que não está nos planos, de última hora, e não é urgente? Diga-lhe não. Se disser sim a esse alguém, estará dizendo não a si mesmo, porque inevitavelmente terá de abrir mão de algo que programou e que acabaria revertendo em momentos mais agradáveis.

Em nossa companhia, as pessoas são estimuladas a dizer não aos superiores que os convocam para reuniões no final do horário de trabalho. É lógico que, em situações de emergência, todos devem ficar na empresa pelo tempo que for necessário. Mas, se o problema puder ser discutido no dia seguinte, ou se for um assunto de rotina que poderia ter sido tratado em qualquer outra hora, a pessoa tem todo o direito de dizer não ao superior. Um dos ensinamentos de Covey é justamente nessa direção. Segundo ele, é necessário evitar as emergências, antecipando-se a elas. Se a pessoa permitir, as emergências acabam se transformando em rotinas. E esse é o pior e o mais estressante dos cenários.

Normalmente, as atividades profissionais devem ser organizadas no período de tempo estabelecido para essa finalidade. Nosso pessoal trabalha duro e a exigência de qualidade que impusemos à nossa companhia às vezes cria uma certa pressão natural no ambiente. Eu disse pressão, que gera resultados; e não tensão, que só causa *stress* e piora o clima dentro da organização. Mesmo assim, existe na nossa cultura interna a idéia de que não se deve prolongar a permanência na empresa além do horário, nem se deve varar a noite entre relatórios e reuniões. Isso é contraproducente.

Muitos desses conceitos que defendo hoje em dia incorporei depois de experimentar fazer tudo pelo jeito mais difícil. Muito cedo assumi responsabilidades que outras pessoas só alcançam quando já estão em idade madura. Tinha pouco mais de 20 anos no final dos anos 50, início dos anos 60, quando meu pai e eu fundamos o Pão de Açúcar. A empresa se consolidou e cresceu rapidamente e, jovem ainda, me vi no comando de um batalhão. Minha posição na empresa me conferia autoridade sobre minha agenda – mas eu não tinha a noção do que significava ter controle sobre meu próprio tempo.

Já naquela época eu me considerava organizado. Tinha uma agenda controlada por minha secretária e me esforçava para cumpri-la. Tomava nota de tudo para não esquecer dos compromissos e procurava manter sempre limpa minha mesa de trabalho. Aquela organização era só aparente. Eu era, como a maioria das pessoas, do tipo que não previne o incêndio. Espera o fogo surgir para, então, tratar de apagá-lo. Eu me mantinha em guerra permanente contra o relógio. Trabalhava 15, 16 horas por dia. Vivia agitado e com a sensação de que, por mais que eu fizesse, mais havia ficado por fazer.

Tenho certeza de que muitas pessoas se identificam com o que acabei de dizer: sabem muito bem o que é trabalhar duro ao longo de 15 horas e, no final da jornada, ter a sensação de que o dia foi improdutivo. O preço que pagamos quando utilizamos mal o tempo é um dos fatores causadores do *stress* que mais podemos controlar. É importante, no entanto, procurar enxergar o todo e, para isso, o fundamental é ter sempre uma atitude mais positiva em relação à vida. Descobrir isso é mais fácil do que parece.

A arte de dirigir o carro da própria vida começa pela atitude da pessoa diante das situações com as quais convive. Uma certa dose de otimismo é fundamental – previne contra o *stress*. Isso mesmo: o otimismo ajuda a tornar a viagem nesse carro muito mais tranqüila e agradável. É claro que não estou falando aqui do otimismo irresponsável, baseado nas ilusões criadas pela ingenuidade. Não devemos semear ilusões, até porque as desilusões são muito duras. Um dos tipos de contrariedade que mais pesam nas nossas vidas são aquelas causadas por elas. Se você quiser ter devaneios, brincar com as idéias, não tenha ilusões, tenha fantasias e exercite sua capacidade de sonhar. Se você quiser alcançar uma meta estabelecida, tenha ambições reais, organize-se e planeje o caminho a seguir. Quando falo em atitude positiva, incluo desde uma alegre e saudável dose de otimismo até a tomada de decisões sobre aquilo que é importante e aquilo que não merece, de forma alguma, esse rótulo.

> *"Se você quiser ter devaneios, brincar com as idéias, não tenha ilusões, tenha fantasias e exercite sua capacidade de sonhar. Se você quiser alcançar uma meta estabelecida, tenha ambições reais, organize-se e planeje o caminho a seguir."*

Aceite minha sugestão: não se aborreça com os pequenos problemas, assuma suas prioridades e saiba controlar o tempo. Além disso, passe a se preocupar mais seriamente em separar aquilo que faz diferença em sua vida daquilo que não tem a menor relevância. A conseqüência disso será uma redução brutal da carga de *stress*. E, mais do que tudo isso, uma vida muito mais serena.

"Ele virou meu conselheiro"

Pedro Paulo Diniz

Pode parecer estranho, mas a verdade é que me aproximei do meu pai no momento em que estava mais distante dele. Em 1990, com 20 anos de idade, arrumei minha mala e deixei a vida tranqüila que levava no Brasil. Fui para a Europa, lutar pela carreira que havia escolhido: a de piloto de carros de corrida. Foi um sonho que eu persegui desde a adolescência. Sempre adorei motores e velocidade. Um dia, um amigo, que já pilotava, me convidou para ir ao kartódromo de Interlagos. Dei algumas voltas na pista, me saí bem e disse: "Acho que eu tenho jeito". Falei para o meu pai e ele disse: "É melhor que você corra numa pista do que na rua". E assim comecei no kart.

Acho que, no início, meu pai não imaginou que aquela paixão me levaria tão longe. Comecei a levar a sério a carreira de piloto e pôr em prática o que aprendi com ele: enquanto alguns sonham com o sucesso, nós acordamos cedo e trabalhamos duro para alcançá-lo. Comecei a cuidar da forma física, a trabalhar a capacidade de concentração e a fazer tudo o que o manual recomendava a um bom piloto. Até aquele momento, minha relação com ele havia sido bastante conturbada.

Cresci num momento complicado. Era a época em que meus pais já não se entendiam bem. Eu não era um moleque legal e dei muito trabalho. Nunca gostei de estudar. Dos 13 aos 17 anos, não me adaptei a nenhum colégio. É lógico que ele não aceitava aquela situação e cobrava uma outra postura de minha parte. As únicas atividades que realmente atraíam meu interesse eram aquelas que envolviam a velocidade. Meu pai percebeu a seriedade de meu interesse pelos carros de corrida e, então, passou a me apoiar.

Meu começo de vida na Inglaterra coincidiu com o momento de dificuldades na companhia — e as possibilidades de receber a ajuda material de meu pai eram limitadas. Mas, naqueles dias, recebi um apoio fundamental: ele virou meu conselheiro. A temporada na Europa abriu os meus olhos para um mundo que eu não conhecia. No Brasil, minha vida era ótima. Na Inglaterra, não. Ali, não adiantava ser filho do dr. Abilio Diniz. Ninguém o conhecia. Ter tomado a decisão de me afastar do Brasil naquela época foi fundamental. Precisei abrir minhas próprias portas. Nesse momento, pude praticar aquilo que ele me ensinou a vida inteira: a determinação. Na minha cabeça, ficava cada vez mais claro que, para ter sucesso, eu teria de me empenhar pessoalmente. Dentro do cockpit, *eu tinha de mostrar meu valor. Ninguém guiaria o carro por mim.*

"Enquanto alguns sonham com o sucesso, nós acordamos cedo e trabalhamos duro para alcançá-lo."

São poucos os que correm de Fórmula 1. Eu estive lá durante seis anos. Não consegui os resultados que eu queria. Gostaria, é lógico, de ter vencido corridas e trabalhei muito para isso. Mas não venci. Isso não combinava muito com a educação que recebi do meu pai, que sempre fez força para que eu e meus irmãos fôssemos os melhores em tudo.

Ele não exigia vitórias de forma direta, mas a cobrança existia. E isso mostra um outro lado da verdade: não é fácil ser filho do Abilio Diniz. Ele é supervencedor, superempresário e tem uma personalidade muito forte. A pessoa pode se acanhar diante disso. Ou, então, aprender a lutar pelo que quer e a ter mais responsabilidade nas coisas que faz. Esse tipo de pressão que ele exerce é positiva.

Na Europa, isso ficou claro para mim — assim como ficou evidente a importância de outros valores que ele defende. Uma das influências que recebi de meu pai envolve a ligação com Deus. Não sou exatamente como ele, que faz questão de estar sempre na igreja. Mas minha crença foi fundamental durante a carreira. Me envolvi em dois acidentes sérios. No primeiro, fraturei a quinta vértebra da coluna cervical. As conseqüências poderiam ter sido terríveis, mas não foram. Fiquei bom. Aquilo me ensinou a respeitar mais os meus limites e os do carro.

O outro acidente foi em Nürburgring, na Alemanha. Esse aconteceu durante o Grande Prêmio da Europa, em 1999. Foi horroroso. Bateram atrás do meu carro segundos depois da largada, num momento em que eu acelerava a 200 quilômetros por hora. Meu carro voou, capotou e se arrastou pelo asfalto com as rodas para cima. Quando parou, testei rapidamente os meus reflexos e disse: "Estou bem, graças a Deus". Não me lembro de quanto tempo demorou até que a equipe médica me tirasse do cockpit. Nessa hora, pensei nas pessoas que tinham assistido a cena pela televisão. Pensei principalmente no meu pai. Sabia que ele ficava muito nervoso durante as corridas. Na maca, fiz sinal de positivo assim que vi a primeira câmera de televisão. O recado era para ele: "Estou bem". Mais tarde, nós dois conversamos a respeito. Ele acredita que foi Deus que impediu que eu saísse dali sem qualquer ferimento. Eu também creio nisso.

Depois que parei de correr, me tornei sócio de uma equipe de Fórmula 1. O negócio não deu certo e a equipe faliu. Depois que retornei ao Brasil, montei outro negócio, que também envolve motores e velocidade. Este tem se mostrado rentável. Mais do que isso, a volta ao Brasil permitiu que eu me aproximasse de meu pai e aprendesse com ele. Nas reuniões do Conselho de Administração e Comitê Executivo da CBD, das quais hoje em dia eu participo, posso estar ao lado dele e ver como ele toma decisões e administra. É um momento muito rico para mim.

Esse é um lado da vida dele que eu admiro: ela serve de exemplo para muita gente. Meu pai trabalha muito com a cabeça. Ele decidiu que quer ser *uma pessoa melhor do que era e vem trabalhando muito nesse sentido. É muito difícil para qualquer pessoa dizer: "Eu quero melhorar como pessoa". E ele fez isso. E essa decisão é real, verdadeira. Ele também entendeu que a experiência de vida dele pode ser útil a muita gente. Como filho, eu digo: "É mesmo".*

"Achei que fosse morrer"

Marcio Bessa

Aconteceu num fim de semana: tive um colapso nervoso. Apaguei. Dois meses antes, eu estava num stress *terrível e o doutor Abilio só olhando... Quando me encontrava, dizia pra eu deixar de fumar três maços de cigarro por dia, fazer exercícios e emagrecer uns quilinhos. Eu ouvia, mas não tomava atitude firme. Ele insistia. Bastava me ver para dar seus conselhos. Dizia: "Ou você toma alguma atitude para mudar esse estilo de vida ou vai morrer e ninguém vai poder fazer nada por você".*

Eu o respeitava, claro, e tentava seguir seu conselho. Tanto que, de tanto ele falar, consegui diminuir meu consumo de três para um maço de cigarro por dia. Comecei até a fazer ginástica. Mas ia um dia e nos outros 30, faltava. As pessoas são assim, eu era assim: achava que não tinha como mudar nada nos meus hábitos. Mudar como? Na verdade, a maioria se acomoda. Sou diretor de segurança do Grupo Pão de Açúcar, muita gente se reporta a mim e tenho muitas responsabilidades. Eu dizia que não tinha tempo e nunca acreditei que aconteceria algo de ruim comigo. Mas um dia, de tanto você fazer absurdos com seu corpo, acontece. Como aconteceu comigo aos 50 anos. Como eu disse, tive tudo de ruim no pior fim de semana da minha vida: sofri síndrome de pânico e depressão. Achei que fosse morrer.

Bastou isso para eu passar a enxergar minha vida de outro modo. Se eu não tomasse uma atitude, não teria de tomar mais atitude alguma. Não ia adiantar mais nada.

Entendi que devia adotar rotinas de cuidados com meu corpo e com minha saúde. Tinha de tornar-me metódico com novos hábitos, assim como o era para escovar os dentes, tomar banho, etc. Assim, incorporei a ginástica e a reeducação alimentar em meu dia-a-dia.

Eu era um sujeito que almoçava às 4 horas da tarde qualquer coisa que comprasse na rua. Frituras de monte, cachorro-quente, o que pintasse. Chegava esfomeado em casa e jantava feito um leão. Vivia estressado com a família, dormia mal, me sentia pesado.

Mudei. Um mês e meio depois daquele pesadelo, havia perdido 17 quilos dos 100 que eu pesava. Passei a fazer uma hora de esteira todos os dias. Não corro, ando. E não é que tenha sido um sacrifício. Não foi. Tomo refrigerante, como o que gosto. Mas, agora, fritura não cai bem como antes. Em vez de devorar sete pedaços de pizza, como era meu hábito, passei a comer três. Não como mais, porque nem agüento. Diminuí o volume de alimentos de um modo geral e não sinto falta nem fome.

Todo dia, às 12 horas, me desligo do turbilhão em que vivo no trabalho e vou para a Academia. Experimento um momento diferente, com gente saudável ao meu redor. Ali ouço outro papo, respiro outros ares e convivo com pessoas que querem vencer desafios e superar obstáculos. Aprendi a ter uma visão totalmente nova sobre cuidar de mim mesmo.

O colapso me mostrou que ter uma vida mais saudável depende apenas de você gerenciar o tempo e ter disciplina. E é muito melhor fazer isso em prol de sua saúde do que para recuperá-la.

Em dois meses, faltei só duas vezes à Academia. Minha esposa e meus filhos sempre fizeram ginástica, mas nunca tinha me deixado influenciar por eles. Minha mulher hoje diz para mim: "Você virou outro desde que ouviu o que o doutor Abilio lhe dizia. Você ganhou qualidade de vida".

É a pura verdade: quando você se descobre mais saudável, mais leve e mais feliz, isso passa a ser um caminho sem volta.

Autoconhecimento

"Quero ser hoje melhor do que ontem
e amanhã, melhor do que hoje."

"Pegue um pedaço de papel e escreva tudo o que você está sentindo. Coloque ali todos os seus medos. Descreva-os até suas últimas conseqüências. Imagine o que de pior pode acontecer. Quando amanhecer, releia tudo o que escreveu."

Parece que ainda ouço o tom grave e tranqüilizador da voz de minha analista, a dra. Iraci Galiás, orientando-me sobre a melhor maneira de atravessar as noites atormentadas que eu vivia no início de 1990. Naquele tempo, eu chegava cansado em casa e caía na cama, certo de que pegaria no sono. No meio da madrugada, o sono desaparecia e cedia lugar a uma luta insana entre minha mente e os meus problemas. O nome técnico desse problema é insônia terminal, uma das características da depressão. Eu simplesmente não conseguia dormir por mais de duas horas. Despertava, deixava a cama e perambulava pelo meu apartamento atormentado pelos fantasmas da madrugada, remoendo ardis e lutando contra facções à esquerda e à direita. Quando o dia raiava, toda aquela guerra em minha cabeça diminuía de intensidade. Ficava apenas uma grande sensação de cansaço e desamparo.

Eu vivia um momento muito difícil. Se você passou por experiência semelhante, sabe do que estou falando. Meu maior medo, naqueles dias, era o risco de falência do Pão de Açúcar.

Na "lista dos medos" que eu preenchia toda madrugada, esse assunto rendia frases e imagens dramáticas, com cenas de abandono, autodesprezo e ruína pessoal... Mas, no dia seguinte, as palavras que eu havia escrito pareciam ter saído de outra cabeça. Não me identificava com elas, não me reconhecia naquelas páginas. O exercício foi de uma eficácia tão grande que conseguiu, algumas vezes, uma proeza naqueles dias: me fazer sorrir. As coisas absurdas que eu era capaz de conjecturar na calada da noite lembravam capítulos de novela mexicana!

Guardadas as devidas proporções e o cenário realmente aflitivo e emergencial daquela ocasião, vejo que os exercícios de autoconhecimento que fiz, especialmente por meio das sessões de terapia, produziram em mim transformações que tiveram o mesmo efeito de contraste daquele conseguido com o "papel dos medos". Quando me vejo hoje, constato que mudei a ponto de não me reconhecer em algumas atitudes de meu passado. Posso dizer, com alívio, que me transformei num sujeito muito diferente do que era. Veja você: eu brigava em partidas de pólo, era capaz de sair no tapa com um cidadão que me perturbava no trânsito, brigava na garagem do prédio se alguém ocupasse minha vaga e reagia com agressividade diante de qualquer conflito. Eu era assim, e isso parecia uma situação imutável. No entanto, para minha sorte e das pessoas que convivem comigo, os anos provaram que, quando queremos, podemos mudar. Esforçar-se para reconhecer limitações, e superá-las, é uma das atitudes que tornam nossa vida melhor.

Quem me conheceu antes e conviveu comigo depois das mudanças ficou grato pelo surgimento do novo Abilio. Para começar não há mais em mim as características agudas de um estressado: me livrei da tensão permanente, da ansiedade, da impaciência e, conseqüentemente, do mau humor. Olho para trás e quase não acredito nas confusões que protagonizei — e para as quais inevitavelmente arrastava dois ou três coadjuvantes incautos. Na maior parte das vezes, as causas eram apenas a fachada para desabafar insatisfações comigo mesmo. Hoje, sinto certa preguiça de me imaginar direcionando tanta energia para algo que não me daria um proveito maior do que o de dizer: "Eu tinha razão". Mas que, no fim das contas, me deixava com a sensação de ter travado um combate com um javali. Algo exaustivo e inútil.

Essa postura mais serena certamente é resultado da maneira como passei a lidar com as expectativas que tinha sobre mim mesmo. E, embora tenha reservado este capítulo para afirmar que instrumentos como a análise, que levam ao autoconhecimento, são um caminho seguro para fazer você se sentir mais feliz dentro dos próprios sapatos, acho que a conseqüência disso é ainda mais importante: o modo como passamos a compreender as pessoas com as quais lidamos. Ser feliz consigo mesmo leva uma pessoa a conviver harmoniosamente com as diferenças dos outros. Eis aí um grande passo rumo ao ideal de qualidade de vida.

Você pode estar se perguntando como faria para seguir esse meu conselho, se é que podemos chamar de conselho a revelação que faço aqui. Veja bem, eu precisei fazer análise para me conhecer melhor. Há quem não precise. Há quem consiga analisar as suas próprias atitudes por conta própria ou com a ajuda das pessoas que ama. De qualquer forma, gostaria de apontar o caminho do autoconhecimento como atitude permanente no seu dia-a-dia.

Se você acha que para se auto-analisar basta ser flexível e aberto o bastante para saber escutar — ainda que em alguns momentos seja doloroso ouvir relatos sobre seus defeitos —, ótimo. Mas a tendência de qualquer pessoa é a de se defender de críticas. Ou de ofender-se. E, durante a defesa íntima que costumamos criar, o natural é rebater as acusações ou renegá-las, se não para os outros, para si mesmo. Se você for uma pessoa desse tipo, eu posso ser o exemplo de que, mesmo assim, você pode melhorar no momento em que se dispuser a tal.

Eu era um cara duro, não ouvia ninguém. Não estava disposto a entender os motivos pelos quais as pessoas agiam como agiam. A verdade estava comigo. As idéias dos que estavam por perto raramente eram melhores que as minhas. Então, para que ouvi-las? E o pior: sendo daquela maneira, eu sofria — por mais paradoxal que essa afirmação possa parecer. Com a intenção firme de procurar analisar permanentemente minhas ações, descobri que um fato está diretamente ligado ao outro: se você é intolerante consigo mesmo, é intolerante com todos. Por isso conhecer seus defeitos e domá-los é tão importante.

"Se você não tem conhecimento de quem realmente é e de suas próprias fraquezas, pode tornar-se refém de suas vulnerabilidades. Pode tornar-se seu maior inimigo."

Quando você consegue entender melhor o seu universo emocional, suas fraquezas, medos e a entender sua maneira de ser, passa a colocar-se no lugar do outro. Surge a tolerância e a compreensão. E, quando isso acontece, o jogo se torna uma partida de ganha-ganha: você fica apto a perceber nos outros o melhor que eles têm a lhe oferecer.

Hoje vejo-me um conciliador: mais para treinador do que para boxeador; mais para bombeiro do que para incendiário. A maneira pela qual consegui chegar a esse ponto, sendo dono do temperamento explosivo que tenho, é a experiência que posso dividir com você. E faço isso com uma grande satisfação. Tenho claro que quero ser hoje melhor do que ontem, e amanhã, melhor do que sou hoje. Essa decisão pessoal é um grande começo. Esse é o primeiro passo para rever os próprios atos todos os dias. E voltar atrás quando necessário.

Somos a construção inacabada e o mestre-de-obras de nós mesmos. O que eu viria a me tornar – e o que me tornarei ainda – começou com o desejo firme de me superar em todos os aspectos. Nos últimos anos, cimentei paredes novas, demoli velhas, muitas delas dificílimas de serem derrubadas. Permaneci muito tempo convivendo com aquele garoto gordinho, que apanhava na rua nos anos de minha infância – e que produziu em mim uma atitude de guerrilha permanente. A terapia, para mim, foi uma arma poderosa. Exercícios de autoconhecimento são capazes de fazer você se dar conta de que determinados comportamentos repetitivos são, na verdade, sabotadores do seu autodomínio. Quando você, a determinada altura, compreende esse fato, torna-se mais senhor da situação.

Se você não tem conhecimento de quem realmente é e de suas próprias fraquezas, pode tornar-se refém de suas vulnerabilidades. Pode tornar-se seu maior inimigo. O livre-arbítrio, o senso de autodeterminação, é algo que podemos aprimorar com o tempo e assim aumentar o número de acertos a nosso favor nas decisões e escolhas que fazemos.

É nesse ponto de equilíbrio que você deixa de ser passional quando deve ser racional, torna-se persuasivo em vez de agressivo, tolerante em vez de inflexível e decidido em vez de reticente. No caso das pessoas mais tímidas e manipuláveis, esse pode ser o momento decisivo da virada do jogo a seu favor. Porque é aí também, neste ponto, absolutamente precioso, que você pode sair da posição de passageiro e tomar ainda mais a direção do carro de sua vida.

A duras penas aprendi que quem acredita ser o dono da verdade raramente chegará a conhecer sequer parte dela. Muito menos a verdade sobre si próprio — mesmo porque, se você é um sujeito agressivo, ninguém vai arriscar a integridade física para lhe dizer isso com todas as letras. E quando uso a expressão "duras penas" estou sendo moderado. No meu caso, foram penas avassaladoras. Fiquei de cara com a lona depois daqueles três fatores divisores de águas aos quais você já foi apresentado.

A busca do autoconhecimento por meio da terapia sempre fez parte de minha vida. Sei que nem todo mundo pode pagar uma terapia. Embora haja, em faculdades de psicologia e serviços públicos médicos, a possibilidade de se submeter a sessões de análise a preços populares ou mesmo gratuitamente, recomendá-los aqui não cabe a mim. Mais que um profissional, é preciso que ele seja experiente, bem treinado e munido de bom senso. Não quero fazer a apologia da terapia ou da análise, mas da busca do autoconhecimento.

O que importa nessas questões é a disposição de ouvir, de entender-se e de mudar quando e no que for necessário. De que maneira? Comece pensando em como você é e em como gostaria de ser. Digamos que você seja do tipo explosivo ou estressado. Ou ainda do tipo que age muito mais da maneira que os outros querem do que como você deseja. Pergunte-se então o quanto isso já atrapalhou sua vida. E aqui lanço mão de um exercício que se inspira na "Lista dos medos". Escreva em um papel, no canto esquerdo de uma página, o que você julga serem suas características mais marcantes, uma abaixo da outra. No alto da página, faça duas colunas com as palavras prós e contras. Então, liste à frente de cada característica sua os prós e os contras de tê-las em sua personalidade. Por exemplo: diante da palavra "explosivo", você escreverá na coluna de contras "brigas com meu filho; desentendimentos com o chefe; perdi uma promoção; perdi o emprego, arrependimento". Na fileira de prós, você provavelmente não terá muita coisa para escrever sobre essa característica, mas, vá lá, quem sabe dê para arriscar itens como: "não guardo rancor" ou "me sinto leve depois de me exprimir".

Um exercício como esse tem um objetivo simples: fazê-lo pensar em si mesmo, enxergando-se de maneira mais clara. Mesmo que você tente maquiar as palavras que escolhe para descrever-se, bem lá no fundo você sabe o que sente em relação a essas suas características. Se elas o incomodam, você perceberá. E mesmo que num primeiro momento você relute em escrever toda a verdade sobre as coisas boas e más que provoca a si mesmo, um dia terá um retrato claro do que lhe faz bem e do que lhe faz mal. O mais importante é identificar se essas características lhe dão mais prejuízo do que vantagens – em relação ao seu bem-estar e em relação ao convívio com os outros.

Ao longo da minha vida, habituei-me a me auto-analisar. Numa breve retrospectiva, antes de toda a tragédia que revolucionou meu dia-a-dia, e cujo ápice se deu no final dos anos 80, eu já havia passado por várias sessões de psicanálise. A primeira vez que pisei no consultório de um analista foi, aliás, em função do *stress* em que eu me encontrava. Eu estava com 29 anos, veja só. Um garoto. Já tinha três dos meus quatro filhos, estava completamente envolvido pela idéia de criar uma rede de supermercados e tinha pressa. Muita pressa. Queria resultados rapidamente. Eu era preparado e inteligente, mas arrogante e prepotente. As coisas tinham de ser do meu jeito. E sabe como é: quando você quer obrigar as pessoas a pensar e agir segundo seu ponto de vista, ainda que a razão esteja com você, as coisas se tornam mais difíceis. Para você e para elas.

Lembro-me de que, nessa época, eu lutava para fazer meu pai aceitar minha visão audaciosa. Ele tinha boas idéias a respeito de negócios, mas, se dependesse apenas dele, teria se conformado em transformar a Doceira Pão de Açúcar em apenas uma ou, no máximo, em duas lojas de supermercado. Na visão dele, isso era mais do que suficiente. Eu, ao contrário, percebi que o mercado oferecia uma oportunidade real de construirmos uma empresa grande, da qual me orgulharia um dia e onde deixaria minha marca. O fato é que sempre fui extremamente exigente comigo mesmo e, portanto, com os outros. O garoto carente e inseguro que eu fora persistia em mim – e eu tinha de provar que era capaz. Estava disposto a sangrar as mãos para superar barricadas – mesmo que algumas delas existissem só na minha cabeça.

Quando dei por mim, estava em um cardiologista descrevendo as dores no peito, a taquicardia e outros sintomas da tensão a que eu mesmo havia me submetido com a luta interior que travara. Resultado: o médico me encaminhou a um terapeuta. Um homem como eu, que primava pelo estilo centralizador, poderia ter relutado em compartilhar sua auto-suficiência com um estranho. Na época, Luiz Carlos Bresser Pereira, que sempre foi muito culto e interessado em novidades, me estimulou a seguir o conselho médico. Naquela ocasião, entendi que o aprimoramento pessoal me levaria ao ponto em que queria chegar nos negócios. Portanto, não deveria poupar esforços para alcançá-lo. Encarei a terapia dessa maneira e foi uma das decisões mais sábias que tomei na vida.

Pode parecer banal, mas o princípio de verbalizar aquilo que sentimos, esse velho sistema difundido por Freud, pode ser o passo primordial e decisivo para uma compreensão melhor de nossos atos. Ouvir nossas próprias argumentações, com alguém nos questionando por meio de uma frase simples como "mas por que tem de ser assim?", coloca abaixo os dogmas que estabelecemos para nos defender de situações ruins do passado. São elas, na maior parte das vezes, que impedem nossa felicidade. No meu caso, a psicanálise surtiu efeitos positivos. A ponto de eu não ter passado muito tempo, desde então, sem freqüentar as sessões.

A terapia seria decisiva para mim na década de 80, um período de muitas rupturas na minha vida. A essa altura, já havia passado pelo divã freudiano do dr. Roberto Azevedo durante cinco anos, o que havia operado algumas mudanças sensíveis em minha maneira de lidar com determinados assuntos. Divorciei-me após 26 anos de casamento, decidi deixar minhas atribuições no governo porque me sentia mais frustrado do que feliz, encarei a situação familiar caótica que enfrentávamos e, finalmente, deparei-me com o Pão de Açúcar em frangalhos.

Então, em 1989, fui seqüestrado. O quadro de terror estava completo. Quando saí do cativeiro e voltei para casa, acreditei que estivesse apto a lidar com a situação sozinho. Estava numa entressafra de terapia, resolvendo as coisas por minha conta, com os instrumentos que havia obtido até ali. Mas junto com as lembranças do seqüestro, que reincidiam intermitentes em minha cabeça, a situação da empresa se deteriorava. Eu driblava um boicote familiar, ao mesmo tempo que banqueiros recebiam com frieza minhas tentativas de obter empréstimos para salvar a empresa. Quando o *stress*, a exaustão e uma tristeza pesada tomaram conta de mim, fui parar no consultório da dra. Iraci Galiás.

Ela se lembraria de mim. Eu havia estado em seu consultório antes de meu seqüestro. A dra. Iraci se recordaria da nossa primeira conversa, um diálogo de apresentação entre paciente e médico. Naquele dia, expus o pavor que sentia ao imaginar a violência de um seqüestrador apanhando algum de meus filhos. Na ocasião, ela me perguntou: "Você tem medo de que isso aconteça com eles e por que não com você?"

Eu? Seqüestrado? Quem se arriscaria a me pegar? Sou forte, auto-suficiente, nunca mais apanharia de ninguém, etc., etc.

Acho que foi isso que respondi a ela. E dez anos depois, lá estava eu, sentado na poltrona de seu consultório, combalido e triste como um náufrago tentando enxergar o transatlântico que o havia acertado. Lembro-me bem do mal-estar generalizado que sentia então. Talvez a característica mais marcante de um depressivo seja a total falta de prazer por tudo. Meus esportes, que sempre foram alegria, eram praticados por obrigação em nome da saúde e do combate ao *stress*. Não dormia, como já contei. Embora os exercícios do "papel dos medos" tivessem me feito ver que as preocupações se potencializavam durante a noite, eu simplesmente acordava e não conseguia mais pregar o olho.

Eu precisava ser medicado. Passei a tomar um antidepressivo. De novo, repito: não estou aqui para fazer propaganda de medicamentos. Estou lhe contando algo que aconteceu comigo. Enfatizo que, em uma situação dessas, o medicamento, sob rigoroso controle, é de grande ajuda. Os que têm preconceito contra remédios para angústia e depressão convivem com um sofrimento intenso e desnecessário. Além disso, um dos riscos de permanecer deprimido por muito tempo é agregar à própria personalidade medos, fobias e um pessimismo permanente, tornando-os parte da nossa maneira de ser.

Permaneci firme nas sessões. Alguns meses depois, o céu começou a clarear. Mantive as visitas à doutora por 12 anos. Tenho-a como amiga e devo muito a ela. Durante esse período me dei conta, por exemplo, de que sou mortal e não um clone de Deus que tem controle sobre tudo. Exercícios de tolerância foram executados em seu consultório, a começar por uma briga que travamos em determinada altura sobre a necessidade de eu reduzir para uma as duas visitas semanais que lhe fazia. E que nos levou a dois anos e meio de afastamento.

Sei que uma parte daquele Abilio inflexível ainda existe e pode se manifestar a qualquer instante. Afinal, aquele sou eu mesmo, só que em outro momento da vida e com ferramentas que a maturidade e o autoconhecimento me forneceram. Sei que, se eu morder a língua e sentir gosto de sangue, posso mais uma vez deixar explodir meu temperamento passional. Mas ter a consciência disso é o que interessa: existe sempre a possibilidade de você ter o controle sobre essas situações e evitá-las. Melhor ainda é sentir-se leve o suficiente para rir de si mesmo e admitir que não é preciso ser perfeito o tempo todo. Eis aí uma atitude sábia para se converter num sujeito, no mínimo, benquisto. A convivência com meus limites e minhas possibilidades me deu a capacidade de evitar situações desagradáveis como algumas que vivi no meu período mais explosivo.

"Existe sempre a possibilidade de você ter o controle sobre as situações e evitá-las. Melhor ainda é sentir-se leve o suficiente para rir de si mesmo e admitir que não é preciso ser perfeito o tempo todo."

Certa vez, desentendi-me com um vizinho que morava no mesmo edifício que eu. Foi uma discussão tola, em torno da demarcação das vagas na garagem. Ele pensava de um jeito, eu, de outro. Depois de um período em que fizemos de tudo para mostrar que nossas posições eram contrárias, com provocações de parte a parte, tivemos uma discussão desagradável, feia mesmo. Depois desse dia, o clima, que já não era bom, ficou pior ainda. Sempre que nos encontrávamos no elevador, o que acontecia com uma certa freqüência, desviávamos nossos olhares para não termos que nos cumprimentar. Horrível.

A situação continuou assim – e o clima permaneceu ruim – até que um dia, alguns anos depois da discussão, parei para pensar. Procurei as razões que me fizeram sentir raiva do meu vizinho e me dei conta de que elas não existiam mais. Se eu tivesse de enfrentar outra vez um episódio como aquele, certamente não permitiria que um problema tão pequeno tivesse uma evolução parecida. Então um belo dia resolvi dizer-lhe isso. Ele entrou no elevador e, em vez de desviar meu olhar do dele, encarei-o amigavelmente, estendi-lhe a mão e pedi-lhe desculpas. Ele respirou aliviado, pediu desculpas também e disse que sentia o mesmo, que se incomodava muito em ter de manter aquela situação por algo tão tolo. O tempo passou, me mudei do edifício. Anos depois, recebi para jantar um outro vizinho, que acompanhara de perto a discussão pelas vagas. Em determinado momento, fiz um comentário a respeito da briga e de como eu era chato. E disse: "Eu não sei como vocês me suportavam!" Meu amigo deu um sorriso maroto e respondeu: "É, nem eu".

♦

"Hoje meu pai escuta mais do que fala"

João Paulo Diniz

Estou acostumado a ouvir as pessoas dizerem que sou parecido com meu pai. De certa forma, sou mesmo. Embora nossos temperamentos sejam diferentes, nossa semelhança física é nítida e muitos de nossos hábitos coincidem. Além de sermos atletas, praticamos os mesmos tipos de esportes. Ele me influenciou em muitos aspectos. O que muita gente não sabe é que meu pai também se deixou influenciar por mim. É isso que o torna mais interessante: ele tem muito o que ensinar, mas nunca deixou de aprender com as pessoas à sua volta.

A influência mais nítida que recebi dele foi nos esportes. Foi ele que despertou meu interesse pela atividade física e a cada vez percebo com mais clareza o benefício que isso me traz. O esportista é, por definição, alguém que persegue suas metas. A pessoa que se dedica a uma atividade física regular é capaz de otimizar seu tempo, pois sabe o valor de um minuto. Isso faz com que seu dia cresça. O esporte aumenta o nível de autoconhecimento, amplia a segurança e reduz o espaço para o auto-engano. Quando você se propõe a correr uma maratona, precisa estar ciente de que ninguém fará isso por você. O sucesso, assim como o risco de não alcançá-lo, é exclusivamente seu. Essa é uma das grandes lições do esporte.

A determinação e a disciplina para a atividade física foram, sem dúvida, elementos que aprendi a partir do exemplo de meu pai. Mas, ao contrário do que pode parecer, isso não aconteceu de uma forma tranqüila. O fato de eu ser o mais velho dos filhos homens me deixava numa posição até certo ponto incômoda. Ele nunca fazia cobranças diretas. Meu pai tinha uma grande expectativa em relação ao meu desempenho — e eu me sentia, de certa forma, pressionado a vencer todas as disputas para não decepcioná-lo. Ele se entusiasmava com a minha aptidão e, como eu não queria fazer feio, me sentia obrigado a ser bom em todos os esportes: tênis, natação, judô... Aquilo acabava se tornando um peso para mim.

Minha visão sobre os esportes começou a mudar quando meu pai deixou a motonáutica e o automobilismo e passou a jogar tênis. Ele tinha quase 40 anos e jamais havia entrado em quadra para disputar um set. Foi nessa época que me dei conta de que tudo aquilo que ele esperava de mim era o tipo de atitude que ele exigia de si mesmo. Eu me dei conta de sua determinação. Ele treinava horas por dia e se empenhava de tal maneira que acabou se tornando um bom jogador. Mais tarde, vi o mesmo empenho se repetir em relação ao pólo, esporte que eu já praticava e que ele começou a fazer por influência de seus irmãos. No início, mal conseguia se equilibrar sobre o cavalo. Com o tempo, aprendeu a montar, a se posicionar no campo e a dar tacadas precisas.

O mais interessante é isso: depois que meu pai deixou de me pressionar e passou a servir de exemplo, comecei a ter prazer nos esportes. Foi quando passei a me dedicar apenas às modalidades de que eu mais gostava. Eu me interessei pelo triátlon, que me deu a primeira medalha marcante em minha trajetória de atleta. Em 1987, disputei uma prova em Belo Horizonte e fui o primeiro colocado na categoria estreante, entre os homens. Renata Grabber, que era minha namorada na época, venceu entre as mulheres que disputavam a prova pela primeira vez.

Esse é o exemplo de uma situação em que eu o influenciei. Meu empenho e o meu entusiasmo foram marcantes na sua decisão de também se tornar um triatleta. Fui eu que o estimulei a participar de sua primeira maratona. Em 1990, minha irmã Ana Maria disputou a prova e despertou meu interesse pela idéia de correr em Nova York. No ano seguinte, eu fui sozinho. Com o passar do tempo, meu pai quis ir também e chegou a participar de três edições da prova.

Ele é assim: quando se interessa, persegue sua meta. E as pessoas que estão do lado dele acabam se deixando influenciar pelo poder da determinação. No início de 2004, por exemplo, passei por uma cirurgia para reconstituição do ligamento cruzado do joelho direito. Eu sabia que só o empenho na fisioterapia apressaria minha recuperação. Então me esforcei nos exercícios e, três dias depois de deixar o hospital, já era capaz de dobrar o joelho. Isso é resultado de determinação e de disciplina.

Qualquer pessoa que seja filho de alguém como Abilio Diniz terá sempre uma dúvida na cabeça: "Será que eu sou bom mesmo ou será que eu sou apenas filho dele?" Fiz a mesma faculdade que ele: Administração de Empresas, na Fundação Getulio Vargas. Mas, no campo profissional, sempre busquei meu espaço. Sempre quis ter meu próprio negócio e fazer uma carreira paralela à dele. Na juventude, fui dono, em sociedade com um colega da GV, de uma loja da Laundromat, uma rede de lavanderias que tentou se estabelecer no Brasil sem muito sucesso. Depois, comandei por algum tempo a cadeia de lojas de conveniência Express, que pertencia ao Pão de

Açúcar, mas tinha vida própria. Aquela autonomia garantiu um período muito feliz em minha vida profissional.

Quando a crise da empresa se tornou evidente e meu pai ficou sozinho no comando, eu e Ana Maria fomos ajudá-lo a resolver os problemas. Nunca o vi tão estressado quanto nessa época. Ele vivia os problemas do Pão de Açúcar 24 horas por dia e nunca conseguia pensar em outro assunto. Aquilo só contribuía para aumentar seu nível de stress. *Depois que o problema foi resolvido, ele passou a ter uma tranqüilidade que eu nunca tinha visto.*

Hoje, meu papel no Pão de Açúcar é o de acionista e minha participação se resume às reuniões do Conselho de Administração da empresa. Gosto muito de participar desses encontros, em que meu pai escuta mais do que fala. Meu negócio não tem muita semelhança com o do Pão de Açúcar. Investi na área da gastronomia e do entretenimento e essa atividade me dá uma satisfação enorme. Quando estou no escritório, não consigo ficar parado: procuro aplicar cada minuto do meu tempo em algo muito produtivo. Exatamente como alguém que conheço muito bem.

Amor

"O amor é, numa definição ligeira, o motor do carro que conduz à felicidade."

Já ficou claro que este é um livro sobre mudanças, sobre grandes transformações que aconteceram comigo. Ele mostra como é importante mudar, desde que seja para melhor, e como é possível evoluir mesmo nas nossas qualidades mais evidentes. Sempre tive noção de que um dos meus pontos fortes é a capacidade de agir sob a motivação dos sentimentos. Ao longo de minha vida, sempre fui uma pessoa emotiva. Mas nem sempre direcionei bem as minhas emoções. Amor e ódio eram, para mim, forças paralelas, igualmente intensas, capazes de envolver-me na mesma medida. Em suma, confesso aqui: eu era capaz de amar profundamente, mas também de odiar com a mesma intensidade.

O amor, claro, não ganhou espaço na minha vida apenas nessa fase mais recente. Eu sempre soube identificar sua presença e vivê-lo como devia. As primeiras pessoas que amei foram meus pais. Amei-os de um jeito tão eloqüente que não tenho outra lembrança mais forte do que essa dos meus primeiros anos. Praticamente tudo o que eu fazia tinha o objetivo de agradá-los e de merecer sua aprovação. Procurava satisfazer suas expectativas para que eles me amassem com a mesma força. Lembro-me perfeitamente de que, em nossa casa na rua Tutóia, não conseguia pegar no sono enquanto não ouvisse o barulho da chave na porta e de meu pai entrando pela casa depois de um dia de trabalho na padaria.

Meu pai foi meu primeiro herói e minha mãe, uma presença querida e intensa. No princípio, eles eram meus amores exclusivos. Mais tarde, me vi dedicando aos meus filhos um amor tão grande quanto aquele que sentia por eles. Durante muitos anos, não conseguia me deitar antes de passar na cama de cada um e me despedir com um beijo de boa-noite. E, toda manhã, os despertava da mesma forma. Ia de quarto em quarto, para chamá-los com carinho. Também soube construir relacionamentos positivos. Amei intensamente as mulheres de minha vida e, cada uma a seu tempo, elas tiveram certeza disso.

"Tanto o amor quanto o ódio têm a capacidade de nos mover, mas cada um nos conduz a um destino diferente."

Auri foi o amor da minha adolescência, que me acompanhou durante muito tempo. Fomos casados durante 26 anos e tivemos quatro filhos. A natureza desse sentimento acabou se transformando. Essa, aliás, é uma das características do amor: ele se transforma à medida que nós mudamos. Isso, muitas vezes, pode gerar separações. Foi o que aconteceu conosco. Mais tarde conheci Rosana. Vivemos momentos de grande felicidade, mas esse amor também sofreu mudanças. Algum tempo depois de nos afastarmos, Geyze entrou em minha vida. Tenho por ela um amor sereno e profundo. Sem sobressaltos e sem inquietações. Um amor que parece ter atingido sua plenitude e se sustenta no companheirismo e nos hábitos que compartilhamos. Nesse relacionamento, acredito, ficou mais evidente o significado da palavra cumplicidade.

Quero, portanto, dizer que o amor me proporcionou situações de extrema alegria. Mas nem sempre foi o soberano das minhas decisões. Ou melhor, eu não tinha a noção de sua importância no tempo em que me deixava conduzir também pelo ódio. A percepção exata da distância que os separa e do lugar que cada um desses sentimentos deve ocupar em nossas vidas foi decisiva para as minhas transformações. Em meio à minha crise familiar e financeira, acompanhada do seqüestro, senti muito ódio — não apenas de pessoas, mas também de fatos e circunstâncias. Um ódio que me tirava o sono. Em pouco tempo, aquela sensação pesada e negativa estava por toda parte, em todas as minhas relações. Foi quando percebi que esse sentimento funciona como uma praga — ele se espalha no ambiente e contamina tudo. É um sentimento tão ruim que cobra pedágio até de quem o sente, porque em pouco tempo destrói o melhor de nós mesmos, de nossa saúde, de nossa força de trabalho, de nossa vida em família, e termina por nos acrescentar rugas e cabelos brancos.

Tanto o amor quanto o ódio têm a capacidade de nos mover, mas cada um nos conduz a um destino diferente. Aqui quero ampliar o sentido da palavra amor para algo que extrapola as relações entre pais, filhos, companheira ou companheiro. Falo no sentido de força universal, que deve prevalecer em nossas ações e na maneira de levarmos a vida. Esse sentimento, enfim, contagia e impregna, ampliando o bem em ondas que terminam voltando para nós. No entanto, raramente nos damos conta disso. Amor e ódio. Um é fundamental na hora de nos ajudar a construir os alicerces sólidos e as paredes protetoras de nosso caráter, conduta e relações; o outro serve apenas para colocar tudo isso abaixo. Um é edificante; o outro, demolidor. Depois que me dei conta da importância de amar, e não odiar, percebi o quanto essa descoberta poderia melhorar a minha existência.

O amor mobiliza nossa energia. Sua presença em nossas vidas pressupõe troca, cumplicidade e doação. A condição de amar e de sermos amados nos faz amadurecer e olhar mais atentamente para tudo: não só para as pessoas mais queridas, mas para todos os que conhecemos. Quando esse sentimento está por perto, a qualidade de vida melhora de forma natural, nossa capacidade de respeitar os outros aumenta, nossa auto-estima se fortalece... enfim, nossa vida ganha nova dimensão. Ele é, na verdade, a grande alavanca propulsora que Deus pôs à disposição do ser humano. O amor é revolucionário e capaz de mover montanhas.

Isso ficou claro, para mim, no ano de 1990, quando me lancei à tarefa de reconstruir o Pão de Açúcar. Foi o trabalho que mais me exigiu dedicação, criatividade, paciência e comprometimento. De longe, essa situação bateu todas as outras dificuldades que vivi, incluindo o seqüestro. Na verdade, costumo dizer que, mais difícil do que construir o Pão de Açúcar, foi reconstruí-lo. Fiz essa empresa duas vezes. Só depois de concluir a tarefa percebi que o amor sempre esteve por trás de minhas ações. No início da sua reconstrução, sair daquela enrascada parecia uma missão impossível. No entanto, percebia que algo poderoso me movia para a frente. A princípio, poderia ser até o ódio, que, como disse, também tem essa capacidade. Mas, se fosse apenas esse sentimento que prevalecesse naquela circunstância, tenho certeza de que ficaria estagnado, para em seguida andar para trás. Ódio atrai ódio. A fé e o amor me deram forças para abrir caminhos e me lançar na salvação do Pão de Açúcar.

Quando pensamos nessa força poderosa, a primeira imagem que nos vem à cabeça é a da emoção especial que liga um homem e uma mulher. Assim como o que sentimos pelos filhos, essa é com certeza a forma mais profunda de expressão desse sentimento. E, quando conseguimos experimentá-lo em sua plenitude, nos colocamos muito próximos do principal objetivo de nossas vidas: a conquista da felicidade.

Mas levei algum tempo para perceber as sutilezas do amor e sua abrangência. Na verdade, ele pode se apresentar nas mais diferentes embalagens – e todas, embora substancialmente com o mesmo conteúdo, têm aplicações diversas no dia-a-dia. Refiro-me também àquele amor singelo que pode vir embalado como otimismo ou entusiasmo pela vida. Algo que pode ser notado na maneira como nos empolgamos com o que fazemos; na facilidade com que rimos e no modo como nos dispomos a encontrar mais pontos positivos do que negativos no nosso cotidiano.

O que quero dizer é que o amor deve ser dedicado com a mesma intensidade para nossas realizações corriqueiras e profissionais, nas pequenas tarefas e nas grandes realizações. Digo com orgulho que amo o que faço. Amo minha empresa e tudo o que construí. Principalmente porque fiz tudo o que fiz dando o melhor de mim, imaginando o quanto isso poderia beneficiar a sociedade, as pessoas, e o meu país. Enriquecer foi uma conseqüência desse empenho, mas o objetivo final de dedicar-se com amor a uma tarefa não é o dinheiro.

Há trabalhos e profissões que não enriquecem ninguém, mas realizam seus autores e seus participantes, espalhando seus benefícios para quem os experimenta. É disso que falo aqui. É natural que um compositor sinta amor pelas músicas que criou – e, com isso, agrade pessoas que entendam esse sentimento. É natural que um cientista sinta amor pelas pesquisas que desenvolve. É natural, da mesma forma, que um empresário sinta amor pela empresa que construiu. É assim que deve ser. Se você é médico, motorista, advogado, cabeleireira ou jogador de futebol, deve doar seu amor ao que faz. Afinal, o que você faz, e como faz, é um retrato do que você é.

O Pão de Açúcar foi construído sob a inspiração desse sentimento poderoso. Reconstruí-lo, então, exigiria de mim duas vezes a cota de amor que dediquei à sua criação. Tudo conspirava para que eu sentisse ódio. E não vou dizer que não senti, mas me centrei no que queria mais que tudo — salvar o que havia criado. O ambiente ao meu redor era hostil. Muitos torciam pelo nosso fracasso de uma maneira até certo ponto ostensiva — e isso ficava claro no tom das notícias dos jornais, na atitude de alguns de nossos credores e até na reação das pessoas diante da minha presença. Naqueles dias, bastava eu entrar num restaurante para me tornar alvo de olhares especulativos. Descontada toda a passionalidade com que, ainda hoje, conto isso a você, tudo parecia ser um complô contra nós. Nunca senti tanta solidão em minha vida — era como se eu tivesse retornado ao cativeiro. Poucas pessoas me ajudaram naquela hora. Luiz Carlos Bresser Pereira foi o primeiro a me apoiar. A presença de meus filhos, Ana Maria e João Paulo, ao meu lado foi fundamental.

Com muito custo superei todas as crises financeiras e coloquei a empresa longe do vermelho. Boa parte do êxito se deu graças à proteção de Deus. A outra parte, que credito ao meu empenho pessoal, só se manifestou com toda sua energia movida pelo amor. A reconstrução do Pão de Açúcar, claro, envolveu horas e horas de trabalho de toda a equipe na época, centenas de reuniões, frio no estômago, noites e noites maldormidas. Mas empreguei nessa tarefa todos os recursos pessoais e materiais que havia guardado ao longo de minha vida. Se o Pão de Açúcar não tivesse resistido às pressões, eu teria me tornado um caso raro de empresário brasileiro que quebraria junto com a empresa. No auge dos problemas, cheguei mesmo a ter dificuldades na hora de levantar dinheiro para pagar as parcelas mensais de um apartamento que eu havia comprado. Na minha opinião, apenas o amor justifica essa crença e esse ato quase cego que me moveu por um ano.

Depois que conseguimos superar a crise, me dei conta, ainda numa segunda fase, de que era preciso mudar o meu papel na companhia. As dificuldades maiores haviam ficado para trás e a organização tinha condições de continuar sem mim. Temia que os problemas de relacionamento com meus irmãos voltassem e a colocassem novamente numa situação de dificuldade. Decidi me afastar, mesmo com sofrimento. Não foi fácil. Mas, mais uma vez, o amor prevaleceu: se eu tivesse de deixá-la para que ela sobrevivesse, estava disposto a fazê-lo. Cheguei até mesmo a marcar a data do meu afastamento e a alugar a casa onde instalaria meu escritório particular. No meio do processo, o cenário mudou. Meus irmãos preferiram inverter a situação. Resolveram vender sua parte e sair, enquanto eu permaneceria, assumindo a responsabilidade pela reconstrução da empresa. Ao assumir o controle da companhia me senti realizado, porque o único que realmente a amava era eu.

O que, afinal, mobiliza as pessoas a superar tantas dificuldades como as que superei? Nascemos com muito amor para dar e receber. Com o passar dos anos, com as relações intrincadas do dia-a-dia e o surgimento de inseguranças e autodefesas, tendemos a inibir tal manifestação. Apesar de nascermos aptos a amar, temos de exercitar-nos para isso. Principalmente depois de sentir todos os reveses do ódio sobre mim mesmo, notei que o amor, como tudo na vida, é um aprendizado. Lembre-se de que muitas outras forças podem inibi-lo. A inveja, a pressa, o medo, a angústia, o ódio, enfim... O amor deve ser regado, treinado, observado para que sobreviva permanentemente em tudo o que fazemos — e não só diante de nossos objetos naturais de afeição. É muito mais uma atitude do que um sentimento, e sua existência depende em primeiro lugar de uma decisão nossa.

Qualquer um de nós pode simplesmente cumprir suas obrigações, sejam elas de natureza pessoal, social ou profissional, sem investir nisso um único grama de sentimento. Isso é perfeitamente possível, ou seja, podemos trabalhar, praticar esportes, ouvir música e ler um livro sem mobilizar as nossas emoções. Afinal de contas, muitas dessas ações dependem de talento, de habilidade, de cultura e de uma série de fatores condicionados muito mais por nossos conhecimentos do que pelos sentimentos. A diferença é que, na presença do amor, todas as coisas que fazemos se transformam numa fonte de prazer puro e genuíno e, daí para a auto-realização, é um passo curto.

Quando olhamos para o todo, e não para as partes, percebemos que a presença do amor é quase uma conseqüência natural de uma vida de boa qualidade. Pense comigo: primeiro, cuidamos da saúde do nosso corpo por meio da atividade física regular e da boa alimentação. Depois, procuramos nos livrar do *stress* na medida do possível e olhamos para dentro de nós mesmos na tentativa de nos conhecer com mais profundidade. Assim, melhoramos nossa cabeça. Em seguida, nos vemos diante de uma questão óbvia: para que serve tudo isso? Imagine alguém que acorda todas as manhãs, faz ginástica, toma café, vai para o trabalho e cultiva o hábito de conviver com sentimentos negativos como o ódio, a inveja e o rancor. De nada adianta buscar o bem-estar físico e mental se isso não contribuir para melhorar nossa felicidade.

Só quem gosta de si mesmo é capaz de viver o amor em sua plenitude. Quem se despreza, tem inseguranças e frustrações prepara o terreno para semear o ódio — porque inveja outras pessoas e menospreza o que não é capaz de sentir. Se você está de bem consigo, então está pronto para manifestar esse sentimento — e todas as suas nuances de alegria, otimismo, cumplicidade, entusiasmo, espírito de equipe — de forma natural e espontânea. Quando isso acontece, as pessoas à nossa volta sentem-se à vontade para agir da mesma maneira. É assim que se dá a onda de que falei há pouco. Se você trata bem as pessoas, sublinhando o que elas têm de bom, elas vão fazer o mesmo. Desse modo, quando nos amamos e cuidamos de nossa auto-estima sem permitir que ela se degenere em narcisismo, ficamos mais preparados para compartilhar nossa felicidade com outra pessoa. É um sentimento que não só nos faz crescer como também nos ensina a valorizar cada vez mais o que temos ao nosso redor. Sejam as pessoas, seja nosso trabalho, seja nossa casa ou nossa rotina. Quando nossas competências são estimuladas pelo amor, somos capazes de realizar qualquer coisa muito mais facilmente.

A lição que gostaria de deixar desse meu testemunho é básica. As chances de sucesso rumo à felicidade se multiplicam no momento em que você coloca amor naquilo que faz. Em tudo o que faz. Nas tarefas mais corriqueiras do dia-a-dia, que são as que ocupam o maior tempo de nossas vidas, às mais intrincadas do seu trabalho e de suas relações pessoais. Na maneira como se relaciona com seus amigos, colegas, todas as pessoas. Se sentem que você está dando o melhor de si, elas farão de tudo para aderir à mesma causa. Se somos movidos por um motivo nobre e não por um sentimento mesquinho qualquer — de nos sobrepor ao outro ou de mostrar o quanto estamos certos —, se mostramos todo o nosso entusiasmo, nossa preocupação para que tudo dê certo, todos ficam contagiados. Toda a engrenagem ao nosso redor gira com mais facilidade e, conseqüentemente, somos recompensados. Isso ajuda, inclusive, na hora de solucionar problemas, valendo, sobretudo, quando nos vemos diante de missões quase impossíveis.

Como já disse, amo meu trabalho, meus esportes, as pessoas que estão ao meu lado. Amo minhas rotinas. Sou um cara que luta para construir a felicidade, e o amor é um dos alicerces que procuro fortalecer para que isso aconteça. Aprendi que, sem ele, tudo o que fazemos corre o risco de se transformar em tarefas repetitivas e enfadonhas – e é muito chato viver assim.

"Sou um cara que luta para construir a felicidade, e o amor é um dos alicerces que procuro fortalecer para que isso aconteça. Aprendi que, sem o amor, tudo o que fazemos corre o risco de se transformar em tarefas repetitivas e enfadonhas – e é muito chato viver assim."

Guardei este capítulo para dizer-lhe uma coisa muito simples e fácil de ser cumprida: procure fazer o que gosta e ame o que você faz. O amor, quando exercitado diariamente, aumenta em potencialidade, passando a ocupar todos os nossos momentos. E o ódio; o ódio que um dia você sentiu e que parecia fazer parte de sua natureza humana perde sua função para sempre...

Ele não existe mais.

♦

"Nossos hábitos aprofundaram nossa união"

Geyze Marchesi Martins

Não posso negar a influência do Abilio em minha vida. Eu não tinha o hábito de praticar esportes e, depois que começamos a namorar, me tornei uma atleta. Aconteceu naturalmente. Em parte, porque é impossível ficar parada ao lado dele. Mas, também, porque acabei descobrindo na atividade física benefícios que eu não supunha que ela fosse capaz de proporcionar.

Minha conversão a esse novo estilo de vida se deu em pouco tempo. Comecei pelas caminhadas diárias e, dali a pouco, já estava trotando. Em apenas quatro meses, era capaz de correr e de conversar ao mesmo tempo – gesto que eu admirava nos corredores e que imaginava jamais conseguir fazer. E as mudanças não pararam por aí. A convivência com ele alterou, ainda, meus hábitos de alimentação. Passei a prestar atenção a detalhes que antes desprezava. Eliminei as frituras, adquiri o hábito de me alimentar várias vezes ao longo do dia e fiquei mais atenta à qualidade dos alimentos.

Aprendi, e aprendo, muito com o Abilio. Admiro, especialmente, duas de suas marcas registradas: a dedicação e a determinação. Seus exemplos inspiraram, em mim, mudanças muito positivas; mas a principal vantagem da vida que levamos não é nenhuma dessas que acabei de mencionar. O melhor de tudo é que os hábitos que compartilhamos ajudaram a aprofundar, e muito, o companheirismo que existe entre nós. Esse, a meu ver, foi o grande benefício que esse novo estilo de vida me trouxe.

Muitas vezes o vejo cansado, ainda com sono. Mesmo assim, ele levanta às 5h30 da manhã para encarar uma corrida ou para uma aula de yoga ashtanga*. Com o tempo, passei a segui-lo até nesses horários que, no princípio, eu estranhava. Levantamos juntos. Mesmo sendo difícil, um ajuda o outro a despertar tão cedo. Mais uma vez, isso é companheirismo. É o máximo acordar cedo e sair para correr (mesmo na esteira) ao lado dele. O café-da-manhã que tomamos juntos, depois de ter feito esporte, tem sabor sensacional. Só percebe o valor do que estou dizendo quem faz esse tipo de coisa. É como se, além da sensação de dever cumprido por estarmos cuidando de nosso próprio corpo, tivéssemos a recompensa de compartilhar esse momento um com o outro.*

Hoje me considero uma atleta. Depois da corrida, vieram a natação, o ciclismo, o squash *e a musculação. Em seguida, o esqui na neve, o tênis e a* yoga. *É maravilhoso ter a oportunidade de poder contar com a companhia um do outro em momentos como esses. Isso vale tanto para ocasiões especiais, como as vezes em que viajamos e passamos uma semana esquiando, ou para situações mais corriqueiras, como as partidas de* squash *nos finais de semana. Já fizemos, juntos, viagens de bicicleta, em que percorríamos, por dia, entre 70 a 80 quilômetros de subidas e descidas. Para mim, ou melhor, para nosso relacionamento, o esporte trouxe algo que permite aumentar nossa união, nossa integração, nossa fidelidade. Mais do que isso, ele é o hábito que nos proporciona a vontade e a oportunidade de sempre querer repetir muitas vezes essas experiências, de estarmos juntos e fazer o que gostamos.*

Mas não posso deixar de falar de outros frutos que esse companheirismo nos trouxe, como a espiritualidade e a fé. Descobrimos mais essa força em comum e, sem dúvida alguma, Deus tem nos abençoado com o fato de termos fé e podermos compartilhar nas nossas vidas essa crença, na qual sempre um incentiva, desenvolve e orienta o outro.

Digo isso pensando nas mensagens positivas de fé e esperança que passamos um para o outro, nas nossas orações diárias e nas missas que assistimos aos domingos. Estejamos onde estivermos, sempre procuramos uma igreja. Temos, além disso, o compromisso mensal na igreja de Santa Rita de Cássia.

Acredito na importância dos valores que compartilhamos e no respeito mútuo que temos. Aprendemos constantemente um com o outro, numa relação de igual para igual, vivendo uma vida em comum, um relacionamento, um grande amor.

"De repente, vi meu pai um outro homem"

Ana Maria Diniz

Comecei a me aproximar do meu pai quando eu tinha uns 13 anos. Foi depois de um acidente de carro que sofremos na rodovia Anhangüera. Minha mãe foi a mais atingida, com um grave ferimento na cabeça. Graças a Deus, estávamos perto de Campinas e encontramos bons médicos que puderam operá-la. Esse episódio causou grandes transformações na minha família. Minha mãe, depois de ter alta, resolveu resgatar o "tempo perdido". Ela, que sempre fora uma boa moça, submissa ao seu marido, resolveu estudar. Fez cursinho e, depois, formou-se em Psicologia. Para isso, vestiu-se como adolescente, com o visual favorecido pelo cabelo curto decorrente do acidente, e com uma bolsa cruzada no peito, foi à luta, buscar coisas das quais vinha abrindo mão havia muito tempo.

Foi aí que eu realmente comecei a conhecer de verdade meu pai. Acho que foi a primeira vez que percebi que ele tinha sentimentos profundos. Até então, ele era para mim um pai amoroso, mas muito focado no seu trabalho. Um pouco distante... Ele sofreu com a forma que minha mãe escolheu para fazer suas mudanças. Para um homem de idéias rígidas, como ele era na época, elas foram um pouco drásticas. Eu entendi sua tristeza. Identifiquei-me com ele e ele começou a se surpreender com a minha capacidade de compreendê-lo. Ali nascia um amor profundo movido pelo respeito e pela cumplicidade.

Várias vezes, nossa relação tão especial foi fortalecida pela vida. Quando eu tinha 25 anos o meu primeiro marido teve um infarto. Dias depois, ficamos sabendo que o caso era grave e que o Tito precisaria ser operado em Cleveland, nos Estados Unidos. Meu pai me chamou e me disse: "Eu quero que você escolha a pessoa que mais deseja para ir com você para te dar apoio e tranqüilidade". Olhei nos olhos dele e respondi: "É você que eu quero que vá". Apesar de saber de todo o transtorno que seria para ele deixar o trabalho e todas as suas responsabilidades, naquela hora fui egoísta. E ele, companheiro. O escolhi porque era a única pessoa da face da Terra que me daria tranqüilidade naquele momento. E lá fomos nós!

Durante a cirurgia, que deveria demorar pelo menos umas oito horas, fiquei muito nervosa. Meu pai deu a idéia de irmos correr. Eu nunca tinha corrido antes. Fiz balé a vida inteira, por mais de 15 anos. Fazia ginástica aeróbica também. Mas correr, eu detestava! Ele insistiu e resolvi tentar. Consegui dar apenas uma volta no quarteirão, mas aquilo me ajudou a relaxar. Depois, continuei caminhando e, de vez em quando, dava mais uma corridinha. Ele me incentivou e disse que, no dia seguinte, eu conseguiria um pouco mais. No final, saímos de Cleveland com o Tito superbem. A cirurgia foi um sucesso. E eu era capaz de correr quatro voltas no quarteirão. Daí em diante não parei mais de correr. Fui a primeira da família a correr uma maratona, em Nova York.

Falar sobre a influência do Abilio (como eu me acostumei a chamá-lo no Pão de Açúcar) em minha vida é quase um paradoxo. Lembro que, num Dia dos Pais, há alguns anos, eu escrevi para ele com os olhos cheios de lágrimas. Disse que só havia conseguido chegar onde cheguei por causa dele, de sua exigência, de suas cobranças, de seus ensinamentos, de seu exemplo e até de seus erros. Erros que eu não queria repetir.

Imaginei que depois do seqüestro, em 1989, meu pai mudaria muito. Achei que ele fosse chegar naquele domingo, o mais longo das nossas vidas, dia em que foi libertado, um outro homem. Ele realmente voltou abatido, barbudo, aliviado e até um pouco eufórico por estar novamente com a família. Mas era aparentemente o mesmo homem, forte, decidido, determinado. Determinado principalmente em não deixar aquele episódio mudar a sua vida de sucesso! Foi trabalhar na segunda-feira, dia 18 de dezembro, como se fosse um dia qualquer. Mas ali começava uma silenciosa transformação naquele homem de ferro que, com o tempo, passaria a mostrar de que outros materiais era feito.

Acredito, realmente, que a grande transformação que ocorreu na vida de meu pai foi decorrente dos três fatos que ele sempre enumera: a briga com a família, o seqüestro e a quase perda do Pão de Açúcar. Mas, na minha opinião, foi na reconstrução de nossa empresa que ele teve oportunidade de exercitar esse novo Abilio que ele estava decidido a ser. Tudo fazia sen-

tido. Estávamos recriando uma empresa com novos valores que, acreditávamos, fariam dela uma vencedora. Esse era o ambiente propício para o novo Abilio se exercitar e fortalecer seu lado positivo, seu lado otimista, seu lado leve. Sem perder, é claro, sua insatisfação produtiva.

Tínhamos uma dificuldade enorme em trabalhar o positivo. Por outro lado, éramos mestres em alcançar resultados pela cobrança dura. Nada de mal com a cobrança, mas acredito que ela sozinha não constrói. De tanto eu falar, numa de nossas tradicionais reuniões de diretoria, meu pai fez um elogio a uma loja que tinha realizado uma campanha excepcional no fim de semana. Depois, ele falou: "Estou elogiando a loja porque a Ana Maria acha que nós precisamos comemorar mais". Todos deram muita risada. Depois disso, o elogio começou a fazer parte da nossa cultura. Ele adorou!

Eu poderia escrever sobre ele mais umas tantas páginas. Mas sei que este depoimento já está tomando proporções acima do esperado. Para finalizar, gostaria de falar um pouco de sua fé. Eu sempre vi meu pai rezar, mas não me lembro, quando pequena, se ele ia à missa todos os domingos. Porém sempre me pareceu que ele tinha uma fé muito particular, muito forte, só dele. Nós, os filhos, nunca fomos obrigados a ir à missa e não discutíamos nossas ligações com Deus em casa, com meu pai ou minha mãe.

Acompanhei a fé do meu pai crescer e ficar mais explícita durante estes anos todos. Aos poucos, parece que ele passou a manifestá-la para todo mundo à sua volta. Desde que ele ganhou da Geyze o livro Salmos — Espelhos da Alma, *não deixa de citá-lo sempre que tem uma oportunidade. Nas missas realizadas na empresa, no final do ano, ele levanta e faz pessoalmente uma leitura inspiradora, adequada para o momento que estamos vivendo. Acho esse gesto lindo, admirável!*

Enfim meu pai foi ganhando um desprendimento muito interessante e espero que ele continue firme em sua caminhada de descobrimento.

Segundo suas próprias palavras, devemos aprender e crescer até o fim de nossas vidas. Acho que é exatamente isso que o diferencia, que o faz um grande homem.

Espiritualidade e Fé

"Quando peço algo a Deus, antes pergunto a mim mesmo: 'O meu pedido é justo?'"

Foram os minutos mais longos de minha vida. Em frente à televisão, eu assistia ao carro de Pedro Paulo, meu filho, capotando e se arrastando pelo asfalto do autódromo de Nürburgring. Por mais difícil que fosse acreditar no que estava vendo, a imagem era absolutamente real. O carro de Pedro, que na época era piloto de Fórmula 1, foi tocado por trás. Bateu no carro que estava à sua frente e capotou espetacularmente. Foi um daqueles acidentes horrorosos, que costumam ser reprisados pela televisão durante todo o final de semana. Para se ter uma idéia, o santo-antônio, uma peça reforçada que tem a função de proteger a cabeça do piloto em caso de capotamento, voou longe. Foi arrancado pelo impacto do golpe. O capacete que protegia a cabeça de Pedro riscava o asfalto em alta velocidade.

Não é difícil para você, leitor, imaginar meu desespero ao assistir à cena pela televisão. Eu, sentado (quer dizer, em pé, querendo pular dentro da televisão) em minha sala, vendo em câmera lenta, por vários ângulos, meu filho encarar a morte na Alemanha. Naquela situação de total impotência, a milhares de quilômetros de distância de qualquer possibilidade de interferir pessoalmente em favor de Pedro, agarrei-me à fé e implorei a Deus que o poupasse. Na verdade, diante daquela cena chocante, nem cheguei a pedir que Pedro não se machucasse – isso me parecia um milagre impossível –, mas que saísse vivo e sem ferimentos graves.

Quando a equipe médica conseguiu tirá-lo do carro e colocá-lo sobre a maca, percebi que Pedro estava consciente. Naquela hora, ele ergueu o polegar para mostrar que estava bem. Tive certeza de que o gesto era dirigido a mim. Foi como se o próprio Deus me tivesse feito o sinal de positivo e dissesse: "Ok, Abilio, seu filho está seguro. Fizemos nosso trabalho daqui". O fato de Pedro sair ileso daquele acidente atestou minha convicção de que foi a mão de Deus, com a ajuda de minha amiga, Santa Rita de Cássia, que evitou o pior. Eles agiram sobre o carro, amparando o impacto e o desviaram de um encontro fatal com o destino. Fiquei aliviado e grato.

Cito esse caso porque considero ter sido uma demonstração daquilo que sempre senti no momento íntimo em que faço minhas preces: a presença de Deus em minha vida. Preciso compartilhar com você o quanto tem sido importante e enriquecedor manter a fé acesa em todas as horas, sejam elas boas ou más. Não escolhi esse assunto para fechar o livro à toa. Acho importante que minha mensagem final seja de fé.

Caso você não esteja convencido da importância de exercícios físicos e se flagre com um pastel na mão, em nítida sabotagem da busca de mais qualidade de vida, resta-me torcer para que você não despreze o caminho onde tudo começa. O caminho que nos dá direito a uma nova chance, sempre. Que nos possibilita realizar o que quer que seja: a fé. Crer! Acredite em você e em Deus. Numa situação sem grandes expectativas, a fé direcionada para Deus — independentemente do nome pelo qual você o chame — é a única força capaz de alterar a ordem das coisas e de mover uma pessoa rumo a novas empreitadas. Essa capacidade interior de crer pode motivar você a desejar coisas melhores para si mesmo e para as pessoas que ama. Na fé, tudo cabe.

Sou um homem de crença religiosa inabalável. Não imagino minha vida sem Deus. Acredito nas pessoas, no amor e neste país. Mas só posso exercitar minha fé porque creio de maneira cega em Deus – e sei que Ele é responsável por tudo. Durante os inúmeros momentos em que estive em dificuldades, com o horizonte embaralhado, caminhos confusos a tomar, nunca me senti totalmente só ou desamparado. Sempre tive a certeza de estar partilhando as dificuldades com Deus. De estar sendo assistido por Ele e por Santa Rita. Sinto-me tomado de profunda gratidão e bem-estar quando, de manhã bem cedinho, após meus exercícios físicos, assisto à beleza do raiar do dia. Tenho certeza de que naquele momento de silêncio e comunhão com a natureza, Ele está presente. Você certamente vive momentos corriqueiros como esse – admira uma chuva que limpa a cidade ou um fim de tarde com todos os tons de laranja iluminando o horizonte –, mas eles passam despercebidos e quase nunca damos o devido mérito a seu criador.

Eu procuro jamais me esquecer da Sua presença em minha vida. Não sei se isso é causa ou conseqüência, mas julgo-me muito protegido espiritualmente. Tem razão quem me considera um homem autoconfiante – eu sou mesmo. E credito boa parte dessa segurança à crença de que Deus é meu parceiro. Nos anos em que vivi as graves crises da minha vida, tive a certeza absoluta de Sua mão me abrindo caminhos. Na época pré-falimentar da empresa, a reconstrução do Pão de Açúcar mostrou-se muitas vezes um obstáculo simplesmente intransponível. Mas, de repente, quando tudo parecia perdido, outra porta se abria e eu via uma luz de esperança. Assim foi até que tudo se normalizasse. Não tiro meus méritos, claro que não; mas sei que todo o esforço e o amor com que me atirei à tarefa de negociar empréstimos arriscados e empenhar até meu último centavo para colocar o Grupo nos trilhos só existiram porque acreditava que Deus estava de acordo e comigo, como um bom e velho conselheiro com poderes especiais para me proteger.

A cada passo que dava, sentia a segurança de que havia ali a determinação Dele para que a obra fosse feita. Antes que qualquer um insinue que sou um privilegiado até nisso, afirmo que essa relação protecionista de Deus com quem quer que seja depende de nós mesmos. Ser protegido espiritualmente é uma condição que nós criamos na maneira como pedimos as graças e as agradecemos. Na maneira, enfim, como sustentamos a nossa fé. Ouso dizer que, nesse aspecto, sou um fiel clássico: rezo muito, agradeço permanentemente e sigo alguns princípios na hora de pedir.

Sou um pedinte fervoroso. Você pode se perguntar o que eu, um cara bem posto na vida, poderia pedir. Eu respondo: tenho dúvidas e medos como qualquer pessoa. Peço a Deus o que todo mundo pede: saúde e proteção às pessoas que amo, porque isso é o mais importante na vida. Mas também peço luz nos meus momentos. E, como disse, sigo alguns princípios. Arriscaria dizer que ao menos duas regras devem ser respeitadas quando pleiteamos algo junto a Deus. A primeira delas consiste em questionar-se sinceramente, da maneira mais simples possível: "Será que meu pedido é justo?" A segunda regra é avaliar se você já fez tudo o que era possível ser feito para obter o que está pedindo. Aí, é o caso de também se perguntar: "Estou fazendo minha parte neste trato?"

Vamos a um exemplo. Digamos que você queira uma promoção no trabalho. Acho que o pedido é concreto, plausível, você pode pedir a Deus que o ajude. Mas pode pedir exatamente o quê? Que Ele elimine seus concorrentes? Não. Pode pedir que o ajude a obter uma melhor *performance* para atingir seus objetivos. E aí vem a regra número dois.

Você deve perguntar a si próprio se, para ser promovido ou reconhecido em seu trabalho, você anda fazendo a lição de casa; se tem dado o melhor de si no que faz, se empenhado, se aprimorado. Quando essas duas perguntas são respondidas, com honestidade, de forma positiva e o pedido é feito com fé, temos êxito no que desejamos. Garanto a você.

> *"Existe gente que passa a vida renegando uma força superior ou se questionando sobre a existência de algo além do material e simplesmente deixa de conhecer esse poder interior que possui."*

Aí eu volto ao episódio de meu filho Pedro. Nas minhas orações, sempre pedi que ele fosse protegido e chegasse são e salvo ao final de cada prova, e nunca que ganhasse a corrida. Não considero esse um pleito justo. Imagine só a trapalhada em que eu colocaria Deus, se eu e mais 21 pais de pilotos pedíssemos que nossos filhos ganhassem a prova! Como é que Deus avaliaria quem deveria ser o contemplado daquele domingo? Teria de consultar os tempos de classificação, pesquisar se o carro de um estava melhor do que do outro, enfim, esse é o tipo da trabalheira que Ele não tem de ter.

Não pretendo ensinar a ninguém a maneira certa de rezar. Apenas julgo necessário dar meu testemunho sobre a importância da espiritualidade na vida de uma pessoa que busca o equilíbrio consigo mesmo e com os que estão ao seu redor. A essência do que quero passar é que sou muito feliz porque acredito em Deus. Amo-O realmente. Você pode estar surpreso ao me ver falando tão abertamente de minha religiosidade. Pode imaginar-me um carola. Bem, se ser carola é não ter vergonha da própria fé e, ao contrário, orgulhar-se dela; se é procurar seguir os ensinamentos de Deus; se é, enfim, não falhar às visitas mensais à igreja de Santa Rita de Cássia todo dia 22, o dia dela, vá lá: sou um carola. Mas para mim não faz sentido falar de qualidade de vida deixando de lado a questão espiritual. Piegas? Pode ser. E daí? Existe gente que passa a vida renegando uma força superior ou se questionando sobre a existência de algo além do material e simplesmente deixa de conhecer esse poder interior que possui.

Eu também já tive meus momentos de questionamento, não nego. Na época em que cursei Administração na Fundação Getulio Vargas, nos anos 50, vivi uma fase em que era usual, e até pegava bem politicamente, questionar a religiosidade e a própria existência de Deus. Fazia parte de um grupo que tinha idéias de esquerda, por mais inacreditável que isso pareça aos que não conviveram comigo naquela época. Meus amigos, os irmãos Silvio e Luiz Carlos Bresser Pereira, faziam parte da turma. Devíamos ter algo em torno de 20 anos. Conversávamos sobre as maravilhas das revoluções russa e chinesa, as idéias de Karl Marx, Mao Tsé-tung, Trotski e Lênin, que combatiam a religião alegando ser o ópio do povo. Fidel Castro também estava no auge e a Revolução Cubana beirava seu desfecho em 1959. Era uma época de materialismo exacerbado. Essas idéias me fizeram questionar não a fé, mas a Igreja. Minha fé eu nunca questionei. Tanto que, apesar desse afastamento, não agüentei muito tempo sem me dirigir a Deus e logo voltei para minhas orações.

Alguns dogmas da Igreja Católica que coloquei na berlinda na época de certo modo até hoje me incomodam. O celibato do sacerdócio, por exemplo, é algo que me parece ultrapassado e sem sentido. O fato de os padres terem de renunciar ao sexo, ao desejo, ao caminho natural de partilhar a vida com uma companheira, chega a ser um desrespeito às leis de Deus. Vou além. Sou um sujeito que vai à missa todos os domingos, adoro cantar os hinos litúrgicos e participar do culto. Mas dificilmente me comovo com o sermão durante a missa. Em geral, os padres ainda não descobriram a maneira de falar diretamente ao coração das pessoas em uma linguagem clara e envolvente. Em outras religiões, percebo que a comunicação se dá com mais facilidade. Conheço vários padres e gosto de muitos. Mas não diria que qualquer um deles tenha me impressionado como eu gostaria nas questões de sermões eloqüentes e originais. E tudo isso pesou um pouco quando eu tinha 20 anos e me sentia atraído pelas idéias da esquerda materialista.

Hoje em dia, para ser o católico praticante que sou, não me atenho mais a alguns pontos incômodos da religião. Creio em Deus, nos santos e sigo rezando com minhas regras de conduta e fé. Nada se mostrou mais poderoso em meus dias de tempestade – e nos dias de bonança – do que a força espiritual que sustento. Minha fé é uma alavanca empreendedora, com o poder de vitalizar, construir, resolver problemas, unir, solucionar e, sobretudo, me colocar no devido lugar perante Ele.

Rezo muitas vezes ao dia. No trânsito, na academia, dentro do carro, sempre que estou só, com meus pensamentos, inevitavelmente desfio algumas orações ou simplesmente converso com Santa Rita e com Deus sobre coisas do dia-a-dia. Tenho certeza de que sou ouvido. Com Santa Rita chego a ter mesmo uma relação de amizade sincera e camarada, como se ela fosse alguém de carne e osso para quem dou um telefonema. Com Deus não é diferente, embora nossa relação seja um pouco menos informal.

Não quero usar metáforas aqui. Quando digo que falo com Deus, é porque falo mesmo. Em voz baixa, mas falo. Rezo ouvindo o som de minha voz se dirigindo a Ele. Verbalizar parece que concretiza e reafirma o pensamento para o mundo. Vejo-o como um amigo olhando para mim, um homem de barba e cabelos compridos. Sei que é uma imagem infantil, talvez registrada em algum livro religioso que vi ainda menino, mas essa figura me reconforta. Vou mais fundo: quando faço minhas orações em casa, ajoelhado em um genuflexório que tenho no quarto, olho para o alto, como se dessa maneira pudesse trazê-lo para mais perto de mim.

Essa sensação de profunda ligação com Deus começou quando eu era menino. Minha mãe sempre foi religiosa e me introduziu no catolicismo, me levando à missa e me ensinando a rezar. Mas me lembro, quando tinha por volta dos sete anos de idade, de ir à missa sem que ninguém me obrigasse. Ia sozinho. Minha mãe, a essa altura, tinha meus irmãos menores para cuidar. Eu saía da rua Tutóia, onde morávamos, e subia a avenida Brigadeiro Luís Antônio a pé até a Igreja da Imaculada Conceição. Na volta, passava numa banca de jornais, na esquina da avenida Paulista, e retornava para casa lendo revistinhas de super-heróis.

Eu ia à missa basicamente porque me sentia bem e não queria que Deus ficasse chateado comigo. Ele, afinal, era meu amigo. Imagine se eu ia querer que Ele me achasse negligente com nossa amizade? O engraçado é que hoje não sou muito diferente daquele garoto lá de trás. Não falto aos meus compromissos religiosos por nada. Nessa relação de fé sou metódico e disciplinado como com o resto de meus afazeres. Levanto muito cedo e começo a manhã dando bom dia a Deus. Depois leio uma passagem do Livro dos Salmos. Tinha o costume de lê-los diretamente da Bíblia - não com muita freqüência. Confesso que sentia alguma dificuldade na leitura e, principalmente, na interpretação dos textos. Geyze me apresentou o livro *Salmos — Espelhos da Alma*, de Nívea Mallia Cittadino. São trechos dos salmos bíblicos numa linguagem atualizada e com comentários que levam à reflexão. Fiquei encantado. A leitura é simples, a interpretação, fácil, e os comentários, excelentes. Normalmente me atenho aos salmos 23 e 91, que são os que mais me trazem tranqüilidade e proteção.

Adotei os *Salmos* como um livro de filosofia diária, que me dá rápidas lições de vida em qualquer página que eu o abra. Recomendo esse hábito a todos. Para mim, aqueles pequenos parágrafos têm efeito pontual, como se seu autor os tivesse escrito à noite, sabendo quais seriam minhas preocupações no dia seguinte. Em seguida faço uma oração, que é parte de um programa espiritual. Esse programa, composto por frases da Bíblia, de Jesus e de pensadores, além de algumas orações básicas, também tem contribuído muito para meu bem-estar espiritual. O programa propõe que se leia a cada dia, durante 63 dias, uma frase e algumas orações que nos aproximam de um ideal de paz interior e conexão com Deus. Há um poder revolucionário nessas palavras. Comecei a fazer o programa no dia primeiro de janeiro de 2000 e nunca mais parei. Sempre termino em um sábado e o recomeço no domingo. Adotei-o como guia espiritual permanente, que revigora meus princípios de fé a cada dia. Caso você queira experimentar seus efeitos pessoalmente, ele está transcrito ao final do livro.

Ao fazer meus esportes, prossigo em minhas orações, ou seja, rezo enquanto corro ou pratico qualquer outro exercício. Agradeço tudo o que recebi e peço proteção para as pessoas que amo. Esse momento de introspecção funciona como o que muita gente chama de meditação. É meu momento comigo mesmo e com Deus. Só assim consigo começar o dia bem e reforçar meus princípios interiores.

Asseguro que para mim, que também tenho meus momentos de angústia, inquietação e preocupação, é uma felicidade crer em algo superior. É tranqüilizador. Quando você conclui existir uma força maior, a sua vida ganha uma nova dinâmica, você não está mais lutando no mundo por sua conta. A coisa fica mais leve. Só que, para se sentir bem assim, não vale crer da boca pra fora: é preciso crer de fato, com fervor. E aqui vale contar uma história dramática que se passou comigo e que me deu uma amostra do quão desesperador me pareceu não ter fé, justamente em um momento em que qualquer ateu correria para os braços de Deus.

Vivenciei uma única ocasião em que não consegui ter fé. Quer dizer, sofri sua ausência para em seguida ter, diante de meus olhos, a prova de que Deus existe e estava comigo o tempo inteiro. Aconteceu durante o seqüestro. Enfiado naquele cubículo debaixo da terra, tive a certeza de que ia morrer. Eu não conseguia sequer pensar em Deus. Ironicamente, um homem de fé consolidada como eu não conseguia lhe dirigir a palavra. Aquela situação irreal tinha me tornado incapacitado para rezar.

Não tinha cabeça, concentração, palavras, nada. Meu cérebro só tentava retomar o controle da situação. E, em determinada altura, com a falta de ar e de perspectivas, eu pensava mais em como morreria do que em como conseguiria escapar. Em um momento acreditava que perderia a vida lutando com um dos bandidos — provavelmente o sujeito que fosse me levar comida. Depois, imaginava que devia me resignar, parar de comer e me deixar morrer de inanição. Era uma situação tão absurda, tão fora dos meus parâmetros normais, que não havia lugar para Deus ali dentro. E o fato de eu não conseguir me dirigir a Ele só piorava a situação: sentia-me cada vez mais só, vulnerável e entregue aos meus seqüestradores.

Depois de algum tempo, reagi e voltei a fazer uma ponte com Deus. Fiz ali um único pedido: "Meu Deus, não me deixe perder a fé". Como de hábito, não só pensei como falei em voz alta. Eu sabia que, se perdesse a fé, eu já era. O curioso é que não pedi algo como: "Me ajude a sair daqui". Eu fiz um pedido mais amplo: pedi forças e luz para me manter como sempre fui. Uma vez atendido aquele pedido, todos os problemas seriam resolvidos. Eu só precisava voltar a ter fé: em Deus e na Sua força protetora. E, realmente, depois disso, comecei a acreditar em saídas e não em resignação. Deus, do lado dele, e, imagino, com a mão de minha amiga Santa Rita de Cássia, já havia mexido os pauzinhos para me tirar daquele sufoco. E ambos foram ardilosos! A maneira como isso aconteceu foi, para mim, mais uma das provas absolutas da existência de Deus.

Como já contei, o carro disfarçado em ambulância no qual a quadrilha de seqüestradores me levaria após a emboscada sofrera uma pane elétrica dias antes da ação ser posta em prática. Os bandidos a levaram ao mecânico, que colocou um cartãozinho de visitas da oficina no console. Os seqüestradores não o viram, porque o cartão foi engolido por uma das frestas do sistema de ventilação — se o tivessem visto, certamente teriam apagado esse vestígio, como fizeram cuidadosamente em cada detalhe da operação. E acho que aí, no empurrãozinho que o cartão sofreu para cair na fresta e ficar escondido atrás do painel do carro, esperando a polícia encontrá-lo, é que a mão divina esteve presente. Quando os policiais desmontaram a ambulância abandonada, encontraram o tal cartão e foram atrás do mecânico. Começaram, ali, a seguir as pistas que os levariam ao meu cativeiro. Fui salvo.

Como posso duvidar dessa conexão profunda com Deus?

Muita gente pode questionar que um homem de negócios, racional, contido nos sentimentos como sempre deixei transparecer, admita o que vou admitir agora: consulto Deus até na hora de conduzir uma negociação para o Pão de Açúcar. Peço que ilumine minhas decisões, que me ajude a escolher o caminho certo a seguir. Não peço coisas materiais. Nunca! Considero impensáveis pedidos como: "Quero que minha empresa dobre de tamanho". Se acontece algo diferente do que imaginava, concluo que foi melhor assim. Sei, então, que outras portas se abrirão para que eu tome um rumo mais proveitoso.

"Da mesma forma que peço coisas a Deus, tento fazer o bem sem esperar nada em troca. Aliás, se eu puder dar um conselho, direi: 'Faça o bem sem esperar recompensa, nem mesmo um agradecimento...'"

Em retribuição, procuro fazer as coisas que Ele gostaria que eu fizesse. Não só em relação àqueles que fazem parte do que chamo de meu mundinho, mas ajudando também outras pessoas. Um reflexo disso é a forte preocupação social do Pão de Açúcar. Temos inúmeras ações e programas para ajudar não só aqueles que trabalham conosco, mas também pessoas carentes das comunidades em que estamos. O Instituto Pão de Açúcar faz, por exemplo, um trabalho para aprimorar e elevar a qualidade de ensino. Além disso, desenvolvemos o Projeto Super Bola. Trata-se de um trabalho de inclusão social que mantém um Centro de Treinamento para garotos de baixa renda. Nesse centro, que tem como patrono o jogador Cafu, capitão da seleção brasileira pentacampeã, os garotos são selecionados e treinados para se profissionalizar no futebol. Aqueles que não têm técnica suficiente para seguir carreira no esporte recebem capacitação profissional para o setor de supermercados.

Tenho consciência de que, graças a tudo o que essa Força Divina fez por mim, posso servir de exemplo. Então, hoje, mais que nunca, preocupo-me com minhas atitudes. Procuro passar coisas boas na minha maneira de ser. Da mesma forma que peço coisas a Deus, tento fazer o bem sem esperar nada em troca. Aliás, se eu puder dar um conselho, direi: "Faça o bem sem esperar recompensa, nem mesmo um agradecimento. Faça porque acredita que é muito bom fazer o bem". Esse é um dos caminhos mais assertivos na busca da paz interior. Na verdade, creio na força revolucionária que os atos de bem operam nas pessoas, tornando-as mais solidárias, mais condescendentes e mais compreensivas. Quando você descobre que a grandeza está na bondade e não nos atos de força bruta, quando percebe o quanto é mais gratificante ser uma pessoa do bem, você já encontrou o caminho para uma vida mais serena.

Talvez este livro tenha surgido dessa consciência. Ou melhor: de vários níveis de consciência. Hoje acredito firmemente que o sofrimento acelera o crescimento das pessoas e as torna mais preparadas para o sucesso. Eu passei maus bocados. Mas não sucumbi. Nunca passou pela minha cabeça entregar os pontos quando vi a ruína se avizinhar do Pão de Açúcar. Eu me entreguei com fé àquela empreitada, porque queria melhorar, construir algo, dar o melhor de mim. Muita gente achou que eu não conseguiria. E estive muito perto do fracasso. Mas olho minha empresa hoje e a vejo maior, muito maior do que aquela que quase quebrou um dia. Por isso lhe digo: não há nada impossível de ser feito. Tanto pessoal quanto profissionalmente. Melhorar é obrigação de todo ser humano, é o que penso. Para não esquecer uma das frases que sempre uso, repito-a aqui, como última tentativa de que você também a adote: "Minha proposta é ser hoje melhor do que ontem e amanhã melhor do que hoje".

"Amar ao próximo como a ti mesmo é talvez a idéia mais difícil de ser seguida, mas também é, sem dúvida, a que mais benefícios nos traz no dia-a-dia."

Isso vale para tudo o que se é e o que se busca na vida. Este livro é isso — algo que não existia, mas que em determinado momento foi concretizado. Minha forma física e saúde são resultados desse pensamento. Querer conhecer meus defeitos para domá-los e aprimorar os pontos positivos de meu modo de ser também pode ser o saldo dessa filosofia. Após anos de trabalho duro naquele Abilio fechado, tenso, certinho e chato que fui um dia, encontrei um caminho para sentir-me mais feliz com o mundo — e comigo mesmo. Houve momentos no passado em que me sentia desconfortável sendo quem eu era. Eu, definitivamente, não fazia meu tipo. Hoje gosto de ser quem eu sou. E isso é muito bom.

Acreditei que era o dono da verdade – veja só que tolice! Em função disso, nem sempre fui um cara cordato: fui antipático com muita gente, por impaciência ou arrogância. É claro que me arrependo. Preferia não ter magoado ninguém, tampouco ter remoído algumas atitudes minhas comigo mesmo. Mas não posso apagar o passado, posso aprender com ele. E estou determinado a isso. Manter a têmpera sob controle – mesmo que às vezes isso pareça impossível para quem tem gênio forte como eu –, ser gentil e interessado são atitudes que vão ao encontro dos mandamentos de Deus e tornam a vida mais leve. Por que não adotar essas coisas aparentemente simples, então?

Amar ao próximo como a ti mesmo é talvez a idéia mais difícil de ser seguida, mas também é, sem dúvida, a que mais benefícios nos traz no dia-a-dia. Se, após todas as coisas que você leu sobre mim, defeitos e qualidades, eu puder deixar uma mensagem sucinta de fé neste livro, eu o faria tomando emprestado o Salmo 23. Ele fala da relação de confiança com Deus e do otimismo que essa relação pode adicionar em nossas vidas. Para mim, é isso que vale. Quando lemos esse salmo, emocionante e poético, sabemos que as forças do universo podem conspirar a nosso favor e que tudo é possível àquele que crê.

O Senhor é meu pastor nada me faltará.
Faz-me repousar em verdes pastagens
e me conduz por fontes tranqüilas,
restaurando minhas forças.
Conduz-me por caminhos seguros
e seu bastão e seu cajado me guiam.
Mesmo que eu ande por um vale de sombras,
nada temerei,
pois o Senhor está comigo.
Felicidade e amor me acompanham
todos os dias da minha vida.

Eternamente habitarei na morada do Senhor.

Espero que você encontre nessas palavras, que leio e releio sem me cansar, o mesmo conforto e a mesma segurança que me garantem força nos momentos bons e ruins da vida. Para mim funciona como um centralizador de forças, que reafirma a presença de Deus em mim. Encerro esta parte do livro correndo mais uma vez o risco de que alguém veja nessas palavras algo previsível. Não sei. Sou um homem que privilegia mais a eficiência do que a aparência e posso garantir: com fé, você pode tudo.

♦

"Com ele aprendi a ter fé"

Adriana Diniz

O seqüestro de meu pai foi um marco na vida de toda nossa família e na minha em especial. Desde o momento em que recebi a notícia de que ele havia sido levado, até o instante em que o vi sair do cativeiro, abatido, mas são e salvo, não parei de pensar nele um só minuto. Foi um momento muito forte. Às vezes, me colocava no lugar dele. Mais do que isso, nessas horas parecia que meu corpo era dele, com todo o desconforto que isso significava naqueles dias. Eu não conseguia comer nada. Imaginava como ele estaria se sentindo, em que estaria pensando. Tinha vontade de saber se ele sentia frio, se estava se alimentando... Temia que o estado de nervos o traísse e o levasse a cometer algum desatino, algum ato impensado.

Lutei para afastar de minha cabeça todos os maus pensamentos e, naquele instante, me apeguei a Deus como nunca. Eu e meus irmãos dividimos entre nós as tarefas que poderíamos levar adiante naquele momento. João Paulo trabalhou junto à polícia e nos manteve informados a respeito das investigações. Ana Maria coordenou os trabalhos junto à imprensa. Eu cuidei do apoio espiritual. Todos os dias, às duas da tarde, a família e os amigos se reuniam em oração. Fazíamos um círculo, dávamos as mãos e rezávamos para que tudo terminasse bem. Durante aquele período conturbado, ganhei de presente uma imagem de Santa Rita de Cássia, a padroeira das causas impossíveis. Era uma santa que meu pai conhecia desde pequeno. Naquela semana, rezei todos os dias diante da imagem. Desde então, ela tornou-se nossa santa de devoção especial, minha e de meu pai.

A santa fez um milagre. Um grande milagre. Meu pai foi seqüestrado numa segunda-feira. Na quarta, já tínhamos a primeira pista de que ele estava, na medida do possível, bem. Na sexta-feira, já sabíamos onde ele estava. No domingo, foi libertado. Diante de outros casos que aconteceram na mesma época, o dele teve um desfecho rápido. Graças a Santa Rita de Cássia, tenho certeza.

Meu comportamento durante aquela semana terrível tem uma explicação muito clara. Meu pai sempre foi uma pessoa fundamental na minha vida. Sempre o vi como uma figura forte — e precisava até mesmo fazer um certo esforço para me aproximar dele. Gostava de agradá-lo. Quando era pequena, me aplicava muito na escola. Tirava sempre as melhores notas, era líder de classe e uma aluna sempre elogiada. Quando chegava o bole-

tim, era uma felicidade. Ele olhava aquela folha de papel nitidamente satisfeito e me chamava de "geninha". Era muito bom ouvir aquilo.

Por ter uma personalidade marcante, ele nos influenciou em mais detalhes do que a maioria dos pais que conheço costuma influenciar seus filhos. Os esportes são um exemplo disso. Joguei tênis e disputei torneios oficiais — cheguei a ser federada de terceira classe. Quando ele assistia a um de meus jogos, me empenhava ainda mais em busca da vitória. Achava que tinha de vencer a qualquer custo. O mesmo aconteceu no tempo em que me dediquei ao hipismo. Era muito aplicada. Certa vez, competi no mesmo Campeonato Paulista de Amazonas com dois cavalos diferentes. Fui campeã e vice-campeã. Nessa época, meu pai não costumava assistir às provas. Mesmo assim, seu espírito estava sempre lá.

Essa, aliás, é uma característica fundamental de meu relacionamento com meu pai. De uma forma ou de outra, ele sempre encontra uma maneira de se fazer presente. No tempo que morei em Berkeley, nos Estados Unidos, ele fazia questão de me visitar sempre. Uma vez, fizemos uma viagem a Las Vegas e nos divertimos muito. Corremos pelas avenidas da cidade e assistimos a vários shows. *Pudemos, ali, aquecer um pouco mais nossa amizade, ficar mais próximos e nos conhecer melhor.*

Essa amizade, como todas, já teve altos e baixos. Depois de algum tempo, se consolidou e ficou estável. Recentemente, meu pai se aproximou de mim de uma maneira muito carinhosa e disse que era meu melhor amigo. Foi uma alegria enorme ouvir essas palavras da boca dele. Meu pai é assim: me identifico muito com sua força de vontade, com sua capacidade de concentração e com sua maneira de se dedicar a tudo o que decide fazer.

O que eu mais admiro nele é a capacidade de decidir. Para ele, não existe o mais ou menos. Existe o sim e o não. Mais do que isso, ele tem uma capacidade enorme de trilhar o caminho que escolheu. Ele é idealista, perfeccionista e vencedor. Consegue unir, nas decisões que toma e em tudo o que põe em prática, a intuição, a sensibilidade, o otimismo e a competência. E consegue, na maioria dos desafios que enfrenta, acertar em cheio no alvo.

Meu pai se joga de cabeça em tudo o que se propõe a fazer. Envolve-se da raiz do cabelo até a ponta dos dedos dos pés. Ele é assim mesmo e é nessa característica que me acho mais parecida com ele. Como diz a minha mãe, costumo fazer tudo no extremo. Dedico-me de corpo e alma a tudo o que me proponho fazer. Casei-me e me envolvi tanto com a proposta de construir uma família ao lado de meu marido que tive seis filhos. Seis filhos abençoados por Deus.

MANUAL DO ABILIO

O que é o Manual do Abilio

Você não precisa ser como eu ou fazer todos os exercícios que faço, mas pode melhorar sua qualidade de vida seguindo alguns poucos conselhos teóricos e práticos que pincei de minhas próprias experiências. Neste Manual, que não tem as pretensões de um guia de boa forma, tentei mostrar um caminho que, me parece, facilita o encontro de qualquer um com uma vida mais saudável e feliz. Acredito que através desses primeiros passos, você pode se sentir estimulado a seguir adiante e encontrar uma fórmula pessoal de atitudes que visem um maior bem-estar físico e espiritual.

Nas páginas a seguir você terá contato com treinamentos que, se executados com disciplina, resultam em uma definição corporal e um desenvolvimento cardiorrespiratório notáveis em pouco tempo – sobretudo se você nunca tiver feito nada por si mesmo nesse sentido. Para isso, contei com a ajuda de médicos e profissionais que me auxiliaram durante a vida toda e que assessoram o Pão de Açúcar. Acreditamos que um caminho seguro a seguir é o mesmo feito pelos colaboradores que entram pela primeira vez em nossa Academia. Cada funcionário que busca uma melhor qualidade de vida no PA Club recebe uma planilha de atividades de nossos professores, contemplando condicionamento físico, musculação e nutrição. É mais ou menos isso que estamos publicando aqui – o mesmo passo a passo.

O preparador Marcos Paulo Reis e seu assessor, Emerson Gomes, sob a supervisão do médico Rogério Neves, selecionaram para seu condicionamento duas possibilidades aeróbias: caminhada e corrida. Se você não estiver habituado a fazer exercícios, comece pela caminhada iniciante e intermediária, para depois começar a corrida iniciante. Se você já tem o hábito de exercitar-se pode iniciar o trabalho pela corrida iniciante e chegar à intermediária. Ao final do treinamento, você estará apto a correr 22 quilômetros semanais. É importante frisar que os graus de esforço e de condicionamento são de sua escolha. Não se trata de um desafio ou uma competição: o que vale aqui é praticar alguma atividade no ritmo que lhe pareça mais apropriado. O ideal é que as atividades aeróbias estejam em seus planos três vezes por semana.

Para dois dias da semana, o professor Paulo Storti criou uma série de exercícios de fortalecimento muscular. Eles podem ser executados em casa, sem aparelhos, utilizando objetos domésticos como apoio. É uma maneira de você experimentar os efeitos benéficos que exercícios, mesmo básicos como esses, provocam em sua musculatura. Também é provável que, sob os efeitos dessa amostra, você se interesse em obter resultados mais efetivos, lançando mão dos recursos sofisticados de uma academia de ginástica.

De todo modo, essa série prevê um trabalho para todos os grupos musculares, e pode ser uma solução para aqueles que já seguem treinos em estágios avançados, mas não querem abrir mão dessa atividade em uma viagem ou no fim de semana, quando estão longe da academia.

Os dois dias restantes da semana são destinados ao repouso do corpo, que é tão importante quanto seu condicionamento.

Junto com as planilhas para preparo físico, o Manual traz também três prescrições nutricionais de autoria do Professor Doutor em Nutrição Antonio Herbert Lancha Junior. A idéia é que você se alimente várias vezes ao dia, em pequenas porções, fazendo escolhas certas. Essas dietas prevêem três situações físicas: para perda de peso, para manutenção de peso associada à prática moderada de exercícios e para manutenção de peso associada à prática freqüente e intensa de atividades físicas. Isso, em outras palavras, significa dietas de 1.500, 2.000 e 2.500 calorias ao dia.

O Manual contempla o que eu chamaria de ensinamentos pessoais. A linguagem mais adequada que encontrei para dar um viés prático a determinados assuntos foi condensar a essência de alguns capítulos em dicas. Redução de *stress* é um desses casos. Claro que há temas difíceis de serem acondicionados em dicas e que, portanto, sequer me arrisquei a tentar. Contudo, tomei a liberdade de reproduzir aqui o Programa Espiritual, cujo poder experimento há anos e que, acredito, executa muito bem o papel prático para o capítulo de Espiritualidade e Fé. Gostaria, é verdade, de estar publicando algo que servisse para todas as religiões, mas admito que o conteúdo do programa tem raízes cristãs. Depois de relutar sobre esse senão, resolvi mesmo assim dividi-lo com você, independente da sua crença. Percebi que, em última instância, esse programa mostra uma possibilidade de exercício que estimula a força pessoal, seja por meio dos poderes de Deus, seja por meio de sua própria fé.

O Manual é, enfim, um guia que deve ser utilizado da maneira que se julgar melhor, em partes ou como um todo. O mais importante é que ele seja seguido com a consciência de que qualquer atividade física deve ser precedida de um exame médico. Na dúvida, qualquer que seja ela, procure orientação profissional.

♦

ATIVIDADE ESPORTIVA

Dicas para uma prática esportiva saudável

A qualidade de vida é cada vez mais vista como algo intimamente associado à atividade física, à boa alimentação, aos tratamentos *anti-stress* e até mesmo aos cuidados estéticos. Todas essas atividades, sobretudo o trabalho físico, exigem, antes de mais nada, planejamento e orientação. Vestir a roupa de ginástica e um par de tênis não basta. Ganhar ou manter o bom condicionamento, perder ou ganhar peso e buscar para a saúde todos os benefícios que os exercícios podem proporcionar requerem um trabalho gradual, constante e muito consciente. O trabalho físico mal orientado pode acarretar danos à saúde, além de não possibilitar a utilização de todo o potencial atlético do indivíduo. Portanto, é bom prestar atenção aos conselhos e dicas das páginas a seguir. Eles foram organizados pelo doutor Rogério Neves, médico do PA Club.

♦

CONSELHOS PARA TODOS

- → O primeiro passo é ter plena certeza de que não há nada de errado com sua saúde. Procure um médico especializado e só inicie uma atividade física após uma avaliação completa. Não menospreze esse item e não superestime seu passado esportivo. Inúmeras doenças "silenciosas" podem ter surgido e, caso não sejam diagnosticadas e tratadas, são capazes de prejudicar sua atividade física e, pior ainda, sua saúde. As complicações, nesse caso, podem ser maiores do que os benefícios. A medicina esportiva utiliza conhecimentos científicos para que o *stress* físico gerado pelo exercício seja transformado em benefícios para seu corpo e sua mente.
- → 30 minutos por dia de três a quatro vezes por semana já são suficientes para adquirir algum condicionamento físico.
- → Use roupas leves, bem arejadas e que cubram a menor área corporal possível. Prefira tecidos que não retenham suor e favoreçam a evaporação e a troca de calor com o meio ambiente. Isso manterá a temperatura corporal em níveis desejáveis.
- → Escolha um par de tênis confortável, com bom amortecimento e que seja de meio a um número acima daquele que você usa habitualmente. Isso evita o atrito e o escurecimento das unhas dos pés. Tenha no mínimo dois pares de tênis para alterná-los e, assim, permitir uma melhor conservação do sistema de amortecimento. Escolha o calçado adequado à prática esportiva - ou seja: nada de correr com tênis apropriados para o vôlei nem de jogar *squash* com calçados de corrida.
- → Se você estiver acima do peso ideal, procure realizar atividades físicas que não promovam impacto — o impacto exerce sobre a coluna, articulações e tendões uma sobrecarga que multiplica por 5 o peso corporal. Assim, quanto mais peso, maior o impacto. Exercícios aquáticos ou com bicicleta, nesses casos, são os mais indicados.

- → Em geral, exercícios de baixa a moderada intensidade e de longa duração promovem uma maior queima de gordura, enquanto exercícios intensos de média a curta duração favorecem o consumo de carboidratos. A gordura também poderá ser mobilizada com exercícios realizados de forma intervalada em que ocorre uma variabilidade da freqüência cardíaca.
- → Procure exercícios que tragam benefícios para a sua saúde, aumentando seu condicionamento cardiovascular, diminuindo a taxa de gordura corporal e melhorando sua coordenação motora. É essencial que você tenha prazer ao praticá-los. Corrida, natação, ciclismo, *squash*, tênis, *yoga*, entre outros, são alguns exemplos.

PARA OS SEDENTÁRIOS

Se você não pratica atividade física há algum tempo ou tem feito exercícios de forma irregular, siga os passos abaixo:

- → É fundamental uma avaliação médica inicial.
- → Hábitos saudáveis e, sobretudo, o senso de disciplina devem ser incorporados à sua rotina.
- → Certifique-se de que você compreendeu perfeitamente os custos do sedentarismo e que tem clareza absoluta dos benefícios que poderá obter com a prática regular de exercícios.
- → Siga um programa de treinamentos e busque orientação especializada. Com isso sua evolução se dará de forma gradativa.
- → Importante: escolha alguém para tomar como exemplo – um amigo, um parente ou conhecido que leve uma vida fisicamente ativa. Procure saber por que essa pessoa gosta tanto de exercícios.
- → Obtenha o máximo de apoio possível para seu programa de treinamento. Recrute companhia – ou pelo menos o apoio moral daqueles que estão mais próximos de você.
- → Sempre que possível, escolha um ambiente ao ar livre para se exercitar. Faça do contato com a natureza um grande prazer.

- → Procure dormir sempre no mesmo horário. O sono é o principal "repositor" do sistema nervoso. Sem qualidade de sono, não se tem boa qualidade de vida.
- → Finalmente, lembre-se de que exercícios são para toda a vida. Atividade física é uma empreitada vitalícia.
- → Mesmo que os benefícios não sejam notados da noite para o dia, pode ter certeza: eles virão. Portanto, a palavra que você jamais deve pronunciar é: desistir.

PARA OS ESPORTISTAS EM ATIVIDADE

- → As reavaliações médicas periódicas devem fazer parte de sua rotina. Elas lhe auxiliarão a readequar seu programa de treinamento e farão com que suas metas sejam atingidas com segurança e realismo.
- → Dê importância aos detalhes e lembre-se de que o repouso faz parte do treinamento.
- → Alguns cuidados adicionais são essenciais. Ao participar de uma corrida de maior extensão, é fundamental que os homens protejam os mamilos com vaselina ou, em alguns casos, até mesmo com curativos do tipo Band-Aid. Do contrário, o atrito com o tecido da camiseta, em corridas mais longas, pode provocar irritação e até mesmo sangramento.
- → Respeite seu corpo e não superestime sua condição física. O sistema cardiorrespiratório responde ao treinamento num ritmo mais veloz do que a resposta dada pelo sistema esquelético. Por mais que você se sinta bem e disposto a ir em frente, não ultrapasse os limites sugeridos pelo seu orientador. Isso o ajudará a prevenir as lesões.
- → Aprenda a ouvir seu corpo. Quando algum sintoma inoportuno como dor, fadiga, sede, transpiração excessiva, etc. aparecer, procure diminuir seu ritmo e entender o que pode estar errado. Não se acanhe em buscar ajuda especializada, com seu treinador, seu médico ou seu nutricionista.

- → A hidratação no dia-a-dia é tão importante quanto as reposições hídricas e energéticas durante treinos e competições. Procure ter uma garrafa de água com fácil acesso e tome pelo menos 2 litros de líquidos por dia.
- → Jamais se exercite em jejum. Faça uma refeição leve 30 a 60 minutos antes da atividade física.

PARA OS ESPORTISTAS QUE BUSCAM *PERFORMANCE*

- → Os detalhes são fundamentais. Um simples erro em sua estratégia ou uma negligência em sua disciplina pode colocar em risco um longo período de treinamento. Lembre-se de que a palavra-chave de um vencedor é disciplina.
- → Quanto mais elevado o nível, maior é a importância da orientação do especialista. Por mais bem preparado que você esteja, não deixe de consultá-lo para buscar um melhor equilíbrio alimentar, providenciar a reposição hídrica adequada e a suplementação alimentar de acordo com suas necessidades. Um trabalho com uma equipe multidisciplinar integrada poderá ser um diferencial na busca de seus objetivos.
- → Nunca tome nenhum medicamento ou suplemento sem orientação médica ou de um nutricionista.
- → Monitore seu treino observando o comportamento da freqüência cardíaca durante o exercício. Monitore a perda de peso, o rendimento físico e a fadiga após cada sessão de treinamento.
- → Procure ler muito e estar bem informado sobre o esporte que você pratica. Atualização constante lhe trará benefícios incontestáveis e proporcionará uma autoconfiança que é fundamental para o bom desempenho.

Como controlar sua freqüência cardíaca e aproveitar corretamente as planilhas

A primeira coisa que você deve saber antes de iniciar qualquer atividade física é como está sua saúde e principalmente como anda sua capacidade cardiorrespiratória. Portanto, antes de seguir as planilhas deste Manual, **é muito importante passar por um exame clínico e submeter-se a um teste ergométrico**. Ambos o deixarão apto à prática segura da atividade proposta. Você saberá, em suma, qual o comportamento de seu coração sob exercícios intensos e a resposta de todo seu organismo ao esforço. A segunda coisa que você deve fazer antes de começar este programa de condicionamento físico é aprender a controlar sua freqüência cardíaca de treinamento (**FT**), expressa pelo número de batimentos de seu coração por minuto, conhecido como BPM.

Controlar o número de batimentos por minuto durante uma atividade aeróbia é muito importante. Dessa forma você conseguirá desenvolver, dentro das freqüências cardíacas estipuladas, toda a seqüência de treinamento proposta, melhorando gradativamente seu condicionamento.

O mais importante em um treinamento aeróbio é controlar os batimentos de maneira a manter a freqüência de treinamento (**FT**) preestabelecida. Ela pode, inclusive, variar na mesma sessão de treino, de acordo com seu objetivo.

Existem várias fórmulas usadas para se estipular as freqüências ideais de treinamento. Vamos colocar à sua disposição duas delas. Ambas envolvem cálculos simples, que valem para todos os que estão em plena saúde e garantem uma boa margem de segurança para quem as utiliza. As duas baseiam-se na diferença obtida entre a idade do atleta e um número padrão: 220 para homens e 226 para mulheres. Essa subtração resulta em um número muito próximo da freqüência cardíaca máxima (**FCM**) do praticante.

A fórmula básica, a mais simples e, conseqüentemente, mais genérica, exige o mínimo de conhecimento de causa para se chegar à freqüência de treino (**FT**). Ela pode ser feita de cabeça, a qualquer momento e por isso a colocamos aqui. A fórmula é a seguinte:

220 (ou 226 para mulheres) **– I** (idade) **= FCM** (freqüência cardíaca máxima)

A partir desse resultado, você aplicará uma porcentagem com a **intensidade de treino** (**IT**) a ser utilizada nos exercícios.

Digamos que a planilha da página 186 peça que você mantenha sua freqüência de treino em **caminhada firme**. Isso significa que nossos técnicos esperam que você mantenha os batimentos cardíacos entre 70 e 79% da freqüência cardíaca máxima. Portanto, para você saber qual será o número de batimentos por minuto durante o treino, é só multiplicar aquele resultado obtido na fórmula acima (a **FCM**) por 0,7 e obter, assim, 70% de sua freqüência máxima.

Exemplo para um homem de 40 anos:

220 – I (idade) **= FCM** (freq. card. máx.) **x 0, IT** (intensidade de treino) **=**
BPM (batimentos por minuto)

220 – 40 = 180 x 0,7 = 126 BPM

Cento e vinte e seis é o número de batimentos por minuto que um homem de 40 anos deve manter como freqüência de treino durante a **caminhada firme**. Se fosse uma mulher, seriam 130 batimentos por minuto.

É importante que você tire sua freqüência cardíaca a cada vinte minutos. Para isso, se estiver correndo, volte a caminhar, deixe passar dez segundos e aí, com dois dedos levemente encostados no pescoço, conte seus batimentos por 10 segundos. Multiplique o número obtido por 6 para saber a contagem durante um minuto. O resultado é o seu BPM naquele momento.

Se estiver abaixo dos batimentos pedidos na freqüência de treino (**FT**), acelere um pouco. Se estiver acima, diminua o esforço.

É bom deixar claro que a freqüência de treino exata de cada um deve ser obtida com a ajuda de um especialista ou médico, pois exige um estudo mais minucioso que o apresentado aqui. A freqüência cardíaca varia de acordo com idade, sexo e hábitos gerais.

No entanto, agora que você sabe calcular seus batimentos por minuto para o treino, com a fórmula mais básica que existe, podemos ensinar-lhe outra. Na verdade, a anterior é uma simplificação da fórmula original desta, de Karvonen, muito difundida e utilizada no mundo todo. Lançando mão de embasamentos fisiológicos e de outras variáveis pessoais, ela consegue ser menos genérica, aproximando-se mais do ideal de treino de cada indivíduo.

A fórmula de Karvonen exige, antes de tudo, que você conheça sua freqüência cardíaca de repouso (**FCR**).

A freqüência cardíaca de repouso (FCR) é a primeira freqüência medida pela manhã, ao acordar.

Para sabê-la, sente-se na cama, conte seus batimentos por 10 segundos e multiplique o resultado por 6 para obter a contagem de batimentos por um minuto.

O resultado será sua freqüência cardíaca de repouso (**FCR**).

De posse desse número, você pode chegar à sua **FT** (**freqüência de treino**) com um número mais personalizado. A fórmula de Karvonen mantém a medida padrão de 220 para homens e 226 para mulheres. Quanto às outras variáveis, veja como proceder:

220 – I (idade) **- FCR** (freq. card. repouso) **x 0, IT** (intensidade de treino)
+ FCR (freq. card. repouso) **= BPM** (batimentos por minuto)

Veja o mesmo exemplo dado anteriormente, com a inclusão do novo dado. Um cidadão de 40 anos, com uma freqüência de repouso de 60 batimentos e com a mesma intensidade de treino, com os batimentos entre 70 e 79% da freqüência máxima:

220 - 40 (I) - 60 (FCR) x 0,7 (IT%) + 60 (FCR) = 144 BPM

144 é o número de batimentos cardíacos por minuto que deve ser mantido por esse cidadão fictício, como freqüência de treino em rodagem confortável, segundo a fórmula original de Karvonen.

Como você pode notar, a primeira fórmula, a mais simples, mantém os batimentos num patamar mais conservador e que exige menor esforço do praticante.

O método mais fácil para conferir o BPM permanentemente é ter um relógio com freqüencímetro. Há inúmeros modelos disponíveis no mercado, alguns com várias funções. Trata-se, em resumo, de um sensor que confere seus batimentos e os apresenta em um visor digital.

O mais importante para os iniciantes é manter os batimentos dentro da proposta da planilha e jamais deixá-los ultrapassar os 85% de sua capacidade, mesmo nos treinos mais puxados e avançados.

A planilha serve como conduta, mas você deve compreender e respeitar seu próprio ritmo.

A freqüência cardíaca ideal muda de acordo com a atividade escolhida. E também pode variar com a temperatura ambiente. Por isso, é sempre bom ter a assessoria de um profissional da área, coordenando seus treinos. No calor, atinge-se a freqüência cardíaca máxima mais rapidamente. Na falta de qualquer método preciso de contagem, uma medida que sempre funciona é a chamada percepção de esforço. Se você está exausto ou com sede, mesmo que tenha corrido pouco, deve baixar o esforço, hidratar-se e eventualmente parar.

Em um treino, a hidratação é tão importante quanto o controle da freqüência. Quando você chega a sentir sede é porque já devia ter bebido água há algum tempo. Então, é recomendável tomar água a cada 20 minutos (e, em treinos avançados, associe a ela também uma bebida do tipo isotônico). Em um treino de uma hora, beba entre 600 ml e um litro de água - dessa maneira, seu corpo mantém o rendimento e sua temperatura corporal permanece sob controle.

A conta para se chegar à sua freqüência cardíaca deve ser refeita ao longo das semanas. À medida que se treina, ganha-se capacidade cardiovascular e sua freqüência de repouso (FCR) fica mais baixa. Isso significa que você se torna mais "econômico": seu coração precisa bater menos vezes para enviar a mesma ou até mais quantidade de sangue para todo corpo. Esse é um dos parâmetros para se dosar seu condicionamento físico.

♦

ANTES DE CORRER...

Veja a seguir alguns procedimentos para ter um melhor aproveitamento dos treinos:

- → Respeite a planilha quanto ao volume e principalmente à intensidade dos treinos.
- → Varie o uso de tênis, controlando a quilometragem e revezamento diários.
- → Utilize o monitor de freqüência nos treinamentos ou meça seu BPM pelo método tradicional, registrando-o em um papel ao final dos treinos.
- → Faça entre cinco e seis refeições diárias (veja as dietas recomendadas em Escolhas Certas e os grupos de alimentos mais indicados para seu consumo, nas páginas a seguir).
- → Reserve para si pelo menos de seis a oito horas de sono diário.
- → Faça alongamentos antes dos treinos (veja práticas básicas de alongamento na Série de Fortalecimento Muscular, nas páginas a seguir).
- → Informe seu médico ou preparador físico sobre quaisquer alterações de ritmo cardíaco, dores ou mal-estar no cumprimento das planilhas.
- → É importante que todo programa de condicionamento físico seja acompanhado de um trabalho de fortalecimento muscular. Você verá uma série básica de musculação na Série de Fortalecimento Muscular, que pode ser mais intensa, na medida de sua evolução, se cumprida em academia e com acompanhamento profissional.
- → No programa de caminhada é importante manter os braços semiflexionados (90º), na lateral do corpo. Isso ajudará a manter o ritmo, a cadência e a velocidade.

- → É fundamental que, no início dos exercícios, seja respeitado um intervalo mínimo de 24 horas e um máximo de 72 horas entre cada sessão de treino.
- → Todo início de preparação deve ser muito leve. No começo é comum sentir dores na canela. Elas não devem perdurar por mais de três semanas.
- → Este programa visa basicamente à qualidade de vida. O sofrimento não deve existir.

PLANILHA DE TREINAMENTO: CAMINHANTE INICIANTE

dia	semana 1: condicionante 1	semana 2: condicionante 2	semana 3: condicionante 3	semana 4: compensação - regenerativo
2ª feira	**2 km ou 30'** caminhada leve	**3 km ou 40'** caminhada leve	**3 km ou 40'** caminhada leve	**3 km ou 40'** caminhada leve
3ª feira	**fortalecimento muscular**	**fortalecimento muscular**	**fortalecimento muscular**	**fortalecimento muscular**
4ª feira	**2 km ou 30'** caminhada leve	**3 km** sendo 10' cam. leve 10x1' cam. firme/1' cam. leve 10' caminhada leve	**4 km** sendo 10' cam. leve 8x2' cam. firme/1' cam. leve 10' caminhada leve	**3 km ou 40'** caminhada leve
5ª feira	**fortalecimento muscular**	**fortalecimento muscular**	**fortalecimento muscular**	**fortalecimento muscular**
6ª feira	**3 km ou 40'** caminhada leve	**4 km ou 45'** caminhada leve	**5 km ou 1h** caminhada leve	**4 km ou 45'** caminhada leve
sábado	**dia de descanso**	**dia de descanso**	**dia de descanso**	**dia de descanso**
domingo	**dia de descanso**	**dia de descanso**	**dia de descanso**	**dia de descanso**
km:	7 km/semana aproximadamente	10 km/semana aproximadamente	12 km/semana aproximadamente	10 km/semana aproximadamente
	→ ' = minuto → " = segundo → Fortalecimento muscular: orientação básica nas páginas a seguir			total km/mês: 39 km

freqüência de treino (FT)

220 – idade do indivíduo – freq. repouso x 0,IT + freq. repouso

intensidade de treino (IT)

	% freq. mínima	% freq. máxima
caminhada leve	60	69
caminhada firme	70	79
caminhada forte	80	90

importante:

→ Você deve executar o esforço pedido de acordo com a porcentagem de freqüência cardíaca da tabela acima, fazendo a equação a partir de sua idade e sua freqüência de repouso.

→ Quando pedimos algo como 10 x 1' de caminhada firme e 1' de caminhada leve, significa que você deve caminhar por um minuto de maneira firme e, em seguida, mais um minuto de maneira leve, repetindo esse jogo com dois minutos de execução por dez vezes seguidas.

PLANILHA DE TREINAMENTO: CAMINHANTE INTERMEDIÁRIO

dia	**semana 1:** condicionante 1	**semana 2:** condicionante 2	**semana 3:** choque 3	**semana 4:** compensação - regenerativo
2ª feira	**4 km ou 30'** caminhada leve	**4 km ou 40'** caminhada leve	**4 km ou 40'** caminhada firme	**3 km ou 40'** caminhada leve
3ª feira	**fortalecimento muscular**	**fortalecimento muscular**	**fortalecimento muscular**	**fortalecimento muscular**
4ª feira	**4 km** sendo 10' cam. leve 8x 2' cam. firme/1' cam. leve 10' caminhada leve	**4 km** sendo 10' cam. leve 6x 4' cam. forte/2' cam. leve 10' caminhada leve	**4 km** sendo 10' cam. leve 8x 2' cam. forte/1' cam. leve 10' caminhada leve	**4 km ou 40'** caminhada leve
5ª feira	**fortalecimento muscular**	**fortalecimento muscular**	**fortalecimento muscular**	**fortalecimento muscular**
6ª feira	**4 km ou 40'** caminhada leve	**4 km ou 40'** caminhada leve	**5 km ou 50'** caminhada leve	**4 km ou 45'** caminhada leve
sábado	**5 km** sendo 4' cam. firme/1' cam. leve	**6 km** sendo 4' cam. firme/1' cam. leve	**8 km** sendo 8' cam. forte/2' cam. leve	**6 km** caminhada leve
domingo	**dia de descanso**	**dia de descanso**	**dia de descanso**	**dia de descanso**
km:	17 km/semana aproximadamente	18 km/semana aproximadamente	21 km/semana aproximadamente	17 km/semana aproximadamente

→ ' = minuto → " = segundo
→ Fortalecimento muscular: orientação básica nas páginas a seguir

total km/mês: 73 km

freqüência de treino (FT)

220 – idade do indivíduo – freq. repouso x 0,IT + freq. repouso

intensidade de treino (IT)

	% freq. mínima	% freq. máxima
caminhada leve	60	69
caminhada firme	70	79
caminhada forte	80	90

PLANILHA DE TREINAMENTO: CORREDOR INICIANTE

dia	**semana 1:** condicionante 1	**semana 2:** condicionante 2	**semana 3:** condicionante 3	**semana 4:** compensação - regenerativo
2ª feira	**3 km ou 30'** sendo 2' trote leve/ 1' caminhada firme	**3 km ou 30'** sendo 4' trote leve/ 1' caminhada firme	**5 km ou 40'** trote leve	**4 km ou 35'** trote leve
3ª feira	**fortalecimento muscular**	**fortalecimento muscular**	**fortalecimento muscular**	**fortalecimento muscular**
4ª feira	**4 km** sendo 12' cam./trote 6x2' trote leve/1' caminhada 10' caminhada leve	**4 km** sendo 10' trote leve 6x2' rod. confortável/ 1' trote leve, 10' trote leve	**5 km** sendo 10' trote leve 8x2' rod. confortável/ 1' firme, 10' trote leve	**4 km ou 34'** trote leve
5ª feira	**fortalecimento muscular**	**fortalecimento muscular**	**fortalecimento muscular**	**fortalecimento muscular**
6ª feira	**dia de descanso**	**dia de descanso**	**dia de descanso**	**dia de descanso**
sábado	**5 km** sendo 4' trote leve/1' cam. firme	**6 km** sendo 4' rod. confort./1' trote leve	**8 km** sendo 8' rod. confort./2' trote leve	**6 km** trote leve
domingo	**dia de descanso**	**dia de descanso**	**dia de descanso**	**dia de descanso**
km:	12 km/semana aproximadamente	13 km/semana aproximadamente	18 km/semana aproximadamente	14 km/semana aproximadamente
	→ ' = minuto → " = segundo → Fortalecimento muscular: orientação básica nas páginas a seguir			total km/mês: 57 km

freqüência de treino (FT)

220 – idade do indivíduo – freq. repouso x 0,IT + freq. repouso

intensidade de treino (IT)

	% freq. mínima	% freq. máxima
trote leve	60	69
rodagem confortável	70	79
ritmo moderado	80	90

importante:

→ O fortalecimento muscular, a partir da quarta semana, pode evoluir eventualmente com o uso de mais peso e de aparelhos, acompanhado de um profissional da área.

→ Quando pedimos algo como 6 x 2' rodagem confort./1' trote leve, significa que você deve executar dois minutos em marcha de corrida confortável, seguida de um minuto de trote leve, nessa ordem, por seis vezes seguidas.

PLANILHA DE TREINAMENTO: CORREDOR INTERMEDIÁRIO

dia	**semana 1:** condicionante 1	**semana 2:** condicionante 2	**semana 3:** choque 3	**semana 4:** compensação - regenerativo
2ª feira	**5 km** rodagem confortável	**6 km** rodagem confortável	**6 km** rodagem confortável	**6 km** rodagem confortável
3ª feira	**fortalecimento muscular**	**fortalecimento muscular**	**fortalecimento muscular**	**fortalecimento muscular**
4ª feira	**8 km** sendo 10' trote leve 8 x 2' firme/1' confortável 10' trote leve	**8 km** sendo 10' trote leve 1 x 4km moderado 15' trote leve	**5 km** sendo 10' trote leve 5 x 1 km moderado a forte int = 1'40", 10' trote leve	**8 km** rodagem confortável
5ª feira	**fortalecimento muscular**	**fortalecimento muscular**	**fortalecimento muscular**	**fortalecimento muscular**
6ª feira	**dia de descanso**	**dia de descanso**	**dia de descanso**	**dia de descanso**
sábado	**8 km** sendo rodagem confortável percurso plano	**8 km** sendo 4' confortável/2' firme percurso plano	**10 km** sendo 1 km confortável/1 km firme percurso misto fácil	**8 km** rodagem confortável percurso plano
domingo	**dia de descanso**	**dia de descanso**	**dia de descanso**	**dia de descanso**
km:	**21 km/semana aproximadamente**	**22 km/semana aproximadamente**	**21 km/semana aproximadamente**	**22 km/semana aproximadamente**

→ ' = minuto → " = segundo
→ Fortalecimento muscular: orientação básica nas páginas a seguir

total km/mês: 86 km

freqüência de treino (FT)

220 – idade do indivíduo – freq. repouso x 0,IT + freq. repouso

intensidade de treino (IT)

	% freq. mínima	% freq. máxima
rodagem confortável	60	69
rodagem firme	70	79
ritmo moderado	80	90
ritmo forte	90	100

Fortalecimento muscular

Para aqueles que já freqüentam academia e seguem uma planilha pessoal para exercícios de musculação, talvez estes exercícios selecionados pelo professor Paulo Storti pareçam básicos. E são. Mas até para estes que estão alguns graus acima em levantamento de peso e esforço muscular, tal série pode ser uma solução para manter o tônus obtido durante viagens ou nos fins de semana distantes da academia.

Para os iniciantes, a série é feita de maneira que se use apenas o peso e a resistência do próprio corpo.

Os exercícios podem ser feitos em casa, utilizando peças domésticas como apoio. Os únicos objetos mais específicos para se exercitarem os grupos musculares básicos são um tensor elástico de borracha e um colchonete. Ambos são baratos e fáceis de ser encontrados em hipermercados e lojas de produtos esportivos.

♦

FORÇA NOS MÚSCULOS...

O que você deve saber antes de iniciar esta série:

- → Os exercícios de alongamento devem ser feitos sempre antes de iniciar as séries de fortalecimento e novamente depois de terem sido feitos. A medida de tempo de execução para cada um deles é de 60 segundos.
- → Os exercícios devem ser contados em três séries de 15 repetições ou três séries de 20 repetições, o que será indicado como 3 x 15 ou 3 x 20. Entre uma série de repetições e outra, descanse 30 segundos. Tanto para braços como para pernas.
- → A idéia das repetições é sobrecarregar os músculos para que eles criem tônus, mas, se você sentir que está muito cansado, sentir tonturas ou alguma indisposição, diminua as medidas apresentadas.
- → Use roupas confortáveis e tênis.

ALONGAMENTO

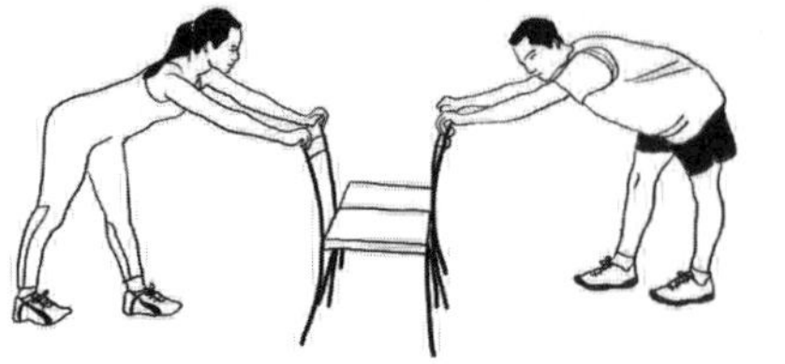

1. Apóie as duas mãos no encosto de uma cadeira. Mantenha as pernas retas, uma diante da outra. Jogue o tronco para a frente, alongando os braços e mantendo o tronco levemente inclinado e reto. Mantenha a posição por 60 segundos. Repita com a outra perna.

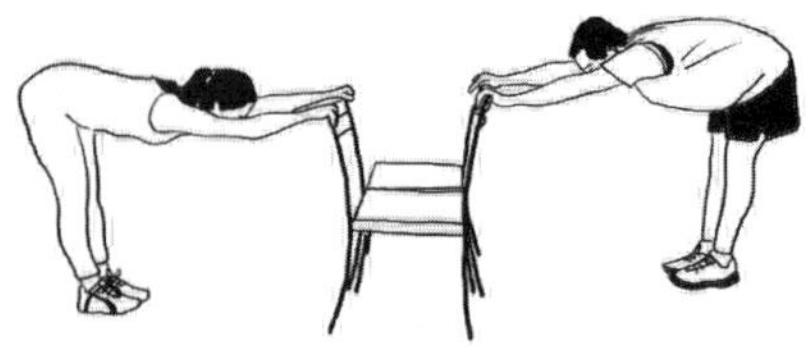

2. Alongue as costas. Alinhe as duas pernas, mantendo-as fechadas. Apóie as mãos no encosto da cadeira, incline o tronco para a frente formando um ângulo de 90 graus. Mantenha a cabeça entre os braços e force as costas e os braços para baixo por 60 segundos.

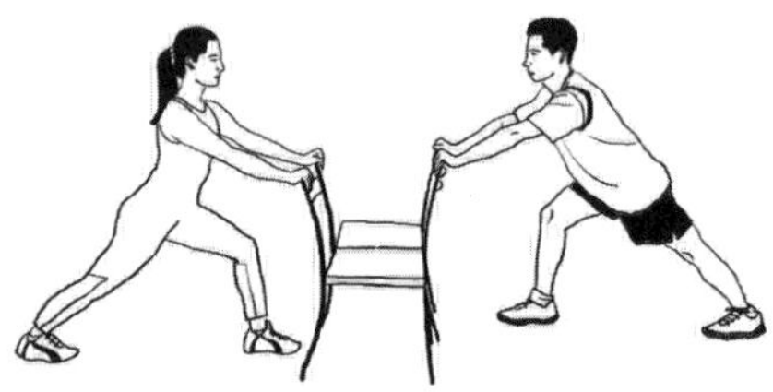

3. Alongue as panturrilhas. Ainda com os braços retos apoiados sobre o encosto da cadeira, mas agora com o tronco levantado, coloque uma das pernas atrás, mantendo a que está à frente levemente dobrada. Force o joelho dobrado e os quadris para a frente e não tire do chão o calcanhar da perna de trás. Repita a operação com a outra perna.

4. Alongue os ombros. Passe o braço reto sobre o peito, force contra si com a outra mão, segurando-o na altura do cotovelo. Repita a operação com o outro braço.

5. Alongue os braços e ombros. Flexione um dos braços atrás da cabeça e puxe seu cotovelo com a outra mão, esforçando-se para que a mão pendida toque as costas. Mantenha a cabeça e o queixo retos. Faça o mesmo com o outro braço.

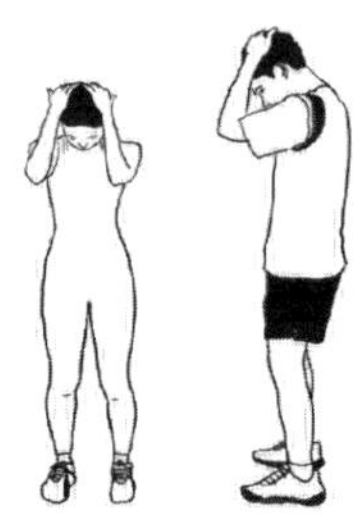

6. Para alongar o pescoço, segure a cabeça com as duas mãos e force o queixo contra o peito.

→ **Flexões:** escolhemos três séries de flexões com graus de dificuldade diferentes. A mais simples é feita em pé, com apoio das mãos na parede.

1. Com as pernas separadas, mantenha-se a uma distância um pouco maior que seus braços de uma parede, de maneira que você tenha de lançar um pouco o tórax para a frente para alcançá-la. Apóie as mãos na altura de seus ombros, mantenha o tronco reto sem tirar os pés do lugar, dobre os cotovelos para aproximar-se da parede e volte. 3 x 15

2. O grau de dificuldade aumentará se você mantiver o mesmo princípio descrito acima e lançar o peso de seu corpo inclinando-o sobre uma mesa. 3 x 15

3. Quando você já estiver mais fortalecido, poderá executar a flexão clássica, apoiando-se em quatro pontos (mãos e pés). Com as pernas quase juntas, flexione o corpo, com as costas retas, em direção ao chão, utilizando apenas os braços. 3 x 15

→ **Ombros**

Pise com os dois pés paralelos no tensor de borracha, segurando as duas pontas na altura dos quadris. Puxe o tensor para o alto, levantando os braços retos até atingir a altura dos ombros. 3 x 15

→ Costas

Prenda o meio da extensão de borracha do tensor em uma maçaneta e segure as duas pontas perfeitamente iguais. Divida o peso nas duas pernas, colocando uma à frente da outra. Segure as duas pontas do tensor com os braços estendidos e puxe-as flexionando os cotovelos em um ângulo de 90 graus. Durante o exercício, utilize a força da musculatura abdominal, contraindo-a para ajudá-lo na tarefa de puxar o tensor. 3 x 15

→ Bíceps

Pise com os pés paralelos no meio do tensor de borracha, puxe as pontas, flexionando o braço até a altura do cotovelo. Volte à posição inicial, mantendo a tensão no braço. 3 x 15

→ Tríceps

Mantenha os pés paralelos à frente de uma cadeira. Apóie as mãos, paralelamente, com os dedos voltados para fora da cadeira, de modo que os cotovelos dobrem para trás. Abaixe o corpo, mantendo os pés imóveis no chão e utilizando a força dos braços para subir e descer. 3 x 15

EXERCÍCIOS PARA OS MEMBROS INFERIORES

→ Músculos internos da coxa e posteriores

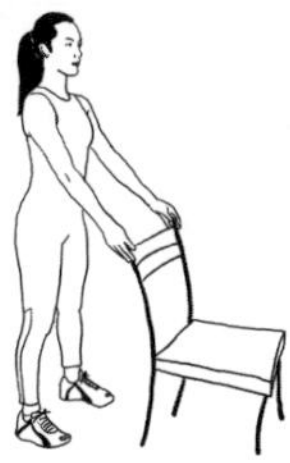

Apóie as mãos no encosto de uma cadeira. Lance a perna para trás o máximo que puder, mantendo a da frente dobrada em um ângulo reto. Baixe o corpo em linha vertical, na direção do solo, forçando as duas pernas ao mesmo tempo. Atenção: mantenha o corpo reto e não jogue o peso no joelho da frente, nem o tronco para a frente. 3 x 20

→ Abdômen

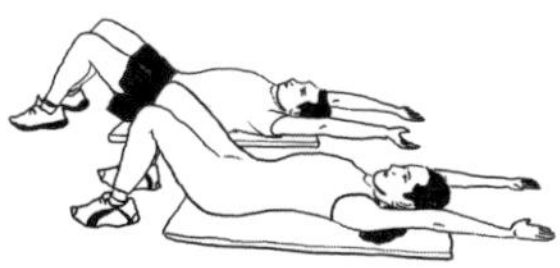

Deitado de costas, dobre os joelhos e mantenha os braços acima da cabeça. Agora tente alcançar os joelhos com as pontas dos dedos. O importante é manter a musculatura do abdômen contraída na subida e na descida do movimento. 3 x 20

→ **Lombar**: fortalecer a lombar é muito importante para que você consiga fazer qualquer exercício aeróbio ou treino de força e até executar movimentos corriqueiros como carregar malas, levantar-se e sentar-se sem causar prejuízo às costas.

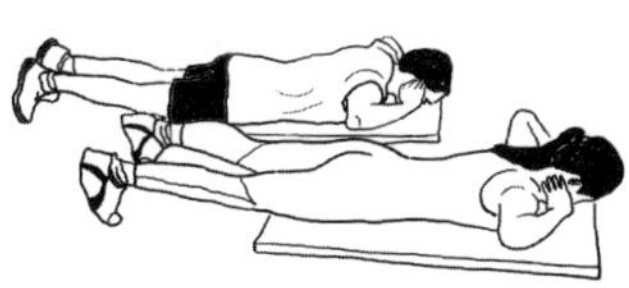
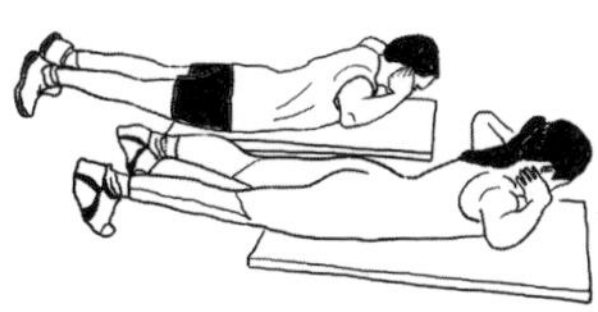

Deitado de bruços, com os pés flexionados, apóie as mãos nas orelhas e force as costas para o alto. Atenção: a cabeça não se levanta nem se aponta o queixo para a frente. Você deve manter o olhar para o chão, não para o alto, levantando costas e cabeça em uma linha reta.

ALIMENTAÇÃO

Faça as escolhas certas

Estamos apresentando nas páginas a seguir três propostas de cardápios desenvolvidos por Patrícia Lopes de Campos, nutricionista do PA Club, sob a supervisão do professor doutor Antonio Herbert Lancha Junior, da Universidade de São Paulo. Essas propostas estão divididas em Grupos Alimentares, de modo que você possa escolher a dieta que mais combina com seu momento e seu gasto calórico em atividades físicas. Isso significa que você terá acesso a três dietas - de 1.500, 2.000 e 2.500 calorias. Saiba para que casos cada uma delas é indicada:

→ **1.500 cal:** Trata-se de uma ingestão alimentar caloricamente deficiente. A manutenção desse consumo provocará perda de peso, mas também de massa magra (músculos). Portanto, não é uma dieta para se seguir ininterruptamente. A prática de exercícios acelerará a perda de peso. E os exercícios de fortalecimento muscular são bem-vindos para que não se perca tônus muscular durante o processo de emagrecimento.

→ **2.000 cal:** É um consumo próximo à necessidade do indivíduo comum que pratica atividade física por 40 minutos três vezes por semana de forma moderada. O equilíbrio do consumo com o gasto irá manter o organismo estável.

→ **2.500 cal:** Vem a ser um consumo discretamente elevado para a média das necessidades do indivíduo comum. É indicado para quem treina até cinco vezes por semana e 40 minutos em cada treino.

DICAS QUE VOCÊ DEVE SABER....

... para fazer as escolhas certas

→ Fuja das maioneses e frituras. Mesmo aquele quibe sequinho que a cozinheira jura que tem pouca gordura foi imerso no óleo para ser frito e, com isso, ganhou grande quantidade de gordura internamente.

→ Não é porque salada não engorda que você pode enchê-la de azeite e parmesão. Lembre-se de que, mesmo sendo saudável, o azeite extravirgem de oliva também é gordura e sua quantidade deve ser controlada. (Veja tabela de grupo de alimentos.)

→ Prefira uma massa com molho vermelho ou pedaços de tomate a uma com molho branco. Geralmente o molho branco é feito com creme de leite rico em gordura ou farinha. Já o molho de tomate é rico em carboidratos e tem baixas calorias. A massa, ao contrário do pensamento popular, apresenta pequena capacidade de geração de gordura. É queimada mais facilmente que um bife de carne vermelha.

→ Se você quer perder gordura, não se preocupe com o peso. Lembre-se de que a balança mede a massa de tudo em nosso corpo – músculos, gordura, ossos, etc. A diferença entre gordura e músculo é o volume. Por isso, use a roupa como referência e não a balança. Lembre-se: a calça que você compra é medida pelo número e não pelo peso.

→ Escolha uma refeição na semana para extrapolar. Conceda-se de presente aquele *milk-shake* que você adora. Lembre-se: ninguém engorda pela exceção e sim pela regra.

- → Beba pequenas quantidades de água freqüentemente. A água participa de várias reações químicas do nosso corpo, dentre elas a quebra da gordura, chamada de hidrólise (quebra por ação da água).
- → Não beba muita água de uma única vez. Lembre-se de que nosso corpo não tem caixa d'água. Assim, hidratar é de dentro para fora e aos poucos.
- → Evite a monotonia alimentar: cores e sabores são importantes para termos prazer na alimentação e garantirmos grande variabilidade de nutrientes.
- → Use o guardanapo após as garfadas e repouse os talheres no prato. Isso diminuirá a velocidade de consumo dos alimentos que muitas vezes é feita por estímulos emocionais. Não se esqueça: o sabor é sentido apenas na boca, pela superfície da língua, portanto se alongue nesse processo.
- → Comida com TV não combina. A atenção deve ser dada aos alimentos e ao evento refeição. A velha forma de jantar em família é um bom exemplo disso.
- → Ao assistir ao jogo do seu time, evite fazê-lo com chocolate, castanhas ou amêndoas ao redor. São alimentos ricos em gordura e você irá consumi-los sem perceber. Se seu time perder o jogo, pode até ser pior: sua digestão será prejudicada pela tensão.
- → Nós tendemos a rejeitar os alimentos desconhecidos. Oferte-se um alimento novo pelo menos dez vezes. É o número necessário para você se familiarizar e arriscar um novo sabor.
- → Cãibras normalmente sinalizam baixo consumo de água. A banana, rica em potássio, não vai ajudar nesse caso. Beba água, aos poucos e sempre, como já foi dito.

- → Consumir a sobremesa do outro em vez de pedir uma própria tem a mesma quantidade de calorias. Faça um consumo consciente — permita-se pedir uma para você, esporadicamente, e mantenha-se longe dela o resto do tempo.
- → Ingerir líquidos durante as refeições não engorda, contudo, o ideal é consumir os alimentos e posteriormente ingerir os líquidos.
- → Consuma as frutas de preferência em sua época. Assim como os legumes, elas apresentam maior concentração de nutrientes.
- → Observar o rótulo dos alimentos é uma estratégia inteligente para saber o que está sendo consumido. Veja quais nutrientes predominam e faça um balanço diário. Nosso maior consumo deve ser de carboidratos.
- → Chamar os alimentos pelo diminutivo não reduz seu potencial calórico. Quando for consumir um chocolate evite chamá-lo de "chocolatinho". Faça um consumo consciente.
- → Aos vegetarianos uma boa dica é consumir espinafre e feijão com suco de limão. O ferro dos vegetais é difícil de ser absorvido e o limão, com sua vitamina C, ajuda nesse processo.
- → Exercício intenso provoca maior suscetibilidade a doenças. A ingestão de alimentos como mel e pães após esse tipo de treino previne isso.
- → Se quiser comer um doce de sobremesa, prefira as compotas de frutas, como o doce de abóbora. São poucas as calorias das frutas e o açúcar é menos pernicioso que as gorduras de cremes, mousses e guloseimas afins.
- → Se for ingerir álcool, beba pouco, sabendo que cerveja, vinhos brancos e bebidas espumantes do tipo champanhe têm menos calorias que as demais.

Como utilizar o cardápio dos grupos alimentares

Para seguir as dietas que combinam com seu estilo de vida atual, você terá de entender os grupos de alimentos e utilizar as medidas indicadas para chegar ao total de calorias/dia que você deve ingerir. Para que haja flexibilidade nas escolhas, cada grupo de alimentos foi dividido de maneira a oferecer um total fixo de calorias. O que varia é apenas a quantidade do alimento. Exemplo: no grupo de cereais, leguminosas e carboidratos, as quantidades de arroz (três colheres de sopa), de flocos de milho sem açúcar (1/2 xícara) e de pão de forma (uma fatia) têm o mesmo valor: 80 calorias. Todos contam como uma porção. Você consulta a lista de substituições de alimentos e escolhe qual deles vai querer comer naquela refeição.

A idéia é ajudar você a reeducar-se à mesa, fazendo opções inteligentes e sem uma inflexibilidade neurótica. Para tanto, você precisa saber o que está comendo e quantas calorias há na sua escolha.

As dietas contemplam uma quantidade grande de carboidratos e muito pequena de gorduras. Então, na dieta de 2.000 calorias, será possível comer no café-da-manhã até 4,5 porções do grupo cereais/leguminosas, o que equivale a dois pãezinhos e meio ou quatro fatias de pão de forma. É uma quantidade muito generosa. Em compensação, no almoço, a quantidade de carne será um filé de frango ou uma sobrecoxa. É preciso lembrar, contudo, que 2.000 calorias por dia são indicadas para quem pratica atividades físicas ao menos três vezes por semana, durante 40 minutos. Os que são adeptos do levantamento de copo, e nada mais, podem ganhar peso com essa dieta. Ainda assim, as dietas deste manual estão focadas em ensinar as escolhas corretas – desprezando gorduras em excesso, e dividindo a alimentação em seis refeições ao dia.

Os grupos de alimentos na nossa tabela estão divididos em:

- → **Cereais/leguminosas e carboidratos**, com quantidades que completam 80 calorias.
- → **Leite**, com quantidades para se ter 115 calorias.
- → **Gordura**, para se ter 40 calorias.
- → **Carnes e queijos**, 100 calorias.
- → **Frutas**, para um total de 60 calorias.
- → **Hortaliças**, que podem ser consumidas à vontade, sem medida alguma, porque suas calorias são ínfimas. Mas não se esqueça que o óleo que você coloca na salada ou no preparo quente deve ser computado como altamente calórico.

Grupo cereais, leguminosas e carboidratos (80 cal.)

Alimento	Porção
Ameixa seca	4 unidades (30 g)
Arroz branco	3 colheres de sopa (60 g)
Arroz integral	4 colheres de sopa (70 g)
Aveia	2 colheres de sopa (20 g)
Bagel	0,5 unidade (30 g)
Bananinha	1 unidade (30 g)
Barra de cereais	1 barra (25 g)
Batata cozida ou assada	1 unidade pequena (100 g)
Biscoito Maisena / Maria	3 unidades (24 g)
Biscoito tipo Vita-life	8 unidades (24 g)
Biscoitos integrais (ex.: aveia)	3 unidades (24 g)
Bisnaguinhas	1,5 unidade (45 g)
Cream crackers	3 unidades médias
Damasco seco	5 unidades (30 g)
Ervilha	6 colheres de sopa (120 g)
Farinha de rosca	1,5 colher de sopa (25 g)
Feijão com caldo	3 colheres de sopa (60 g)
Fibrax biscoito	8 unidades pequenas (30 g)
Fibrax chocolate	1 barra (25 g)
Flocos de milho sem açúcar	1 tigela pequena (20 g)
Gelatina sem açúcar	1 tigela média (140 g)
Geléia comum	1 colher de sopa cheia (35 g)
Geléia dietética	3 colheres de sopa cheias (100 g)
Goiabada	1 colher de sopa (30 g)
Granola	2 colheres de sopa (20 g)
Grão-de-bico cozido	3 colheres de sopa (50 g)
Lentilha cozida	4 colheres de sopa (60 g)
Maçã seca	5 colheres de sopa (100 g)
Macarrão cozido	0,5 xícara de chá (70 g)
Mandioca cozida	1 pedaço grande (80 g)
Mandioquinha cozida	1 unidade média (80 g)
Mel de abelha	2 colheres de sopa (25 g)
Milho	4 colheres de sopa (100 g)
Nhoque	2 colheres de sopa (60 g)
Pão de forma	1 fatia média (30 g)
Pão francês	0,5 pãozinho (30 g)
Pão integral	1 fatia média (30 g)
Pão italiano	0,5 fatia média (30 g)
Pão sírio	0,5 unidade grande (30 g)
Pão *light*	1,5 fatia (45 g)
Pêra seca	3 colheres de sopa (60 g)
Pipoca (estourada)	2 xícaras de chá (20 g)
Purê de batatas	2 colheres de sopa (60 g)
Soja cozida	3 colheres de sopa (60 g)
Suco de soja	1 copo de requeijão (200 g)
Sushi	2 unidades (50 g)
Sustagen	2 colheres de sopa (20 g)
Toddy (achocolatado)	2 colheres de sobremesa (20 g)
Torrada (Bi-Tost)	3 unidades (24 g)
Uva passa	2 colheres de sopa (30 g)
Yakult	1,5 unidade (100 g)

Grupo carnes/queijos (100 cal.)

Alimento	Porção
Almôndegas bovinas	1 unidade média (50 g)
Almôndegas de peru ou frango	2 unidades pequenas (60 g)
Atum enlatado em água	3 colheres de sopa (80 g)
Carne bovina grelhada	1 bife muito pequeno (50 g)
Carne bovina moída	2 colheres de sopa (50 g)
Coração galinha cozido/assado	10 unidades (50 g)
Cream cheese 0% de gordura	6 colheres de sopa (100 g)
Cream cheese light	3 colheres de sopa (50 g)
Frango grelhado/cozido	65 gramas
Kani kama	8 unidades pequenas (140 g)
Lula/polvo cozidos	5 colheres de sopa (100 g)
Ovo cozido	1 unidade (50 g)
Peixe grelhado sem óleo	1 filé médio (70 g)
Peru (embutido)	7 fatias finas - máquina (75g)
Proteína de soja cozida	4 colheres de sopa (100 g)
Queijo branco	2 fatias finas (40 g)
Queijo *muzzarela*	3 fatias finas (30 g)
Queijo parmesão	4 colheres de chá (20 g)
Queijo tipo *cottage*	6 colheres de sopa (100 g)
Queijo *tofu*	2 pedaços grandes (90 g)
Ricota	4 colheres de sopa (60 g)
Salsicha de peru ou frango	1 unidade (40 g)
Sashimi	7 filés pequenos (140 g)

Grupo leite (115 cal.)

Alimento	Porção
Frozen yogurt 0%	1 copo pequeno (100 g)
Iogurte 0% de gordura	2 unidades médias (200 g)
Iogurte natural/coalhada	0,5 unidade média (250 g)
Iogurte natural desnatado	1 unidade média (250 g)
Iogurte sabor frutas	1 unidade média (200 g)
Leite desnatado	2 copos requeijão (400 g)
Leite em pó integral	2 colheres de sopa (20 g)
Leite em pó desnatado	4 colheres de sopa (40 g)
Leite integral	1 copo requeijão (200 g)
Leite semidesnatado	1,5 copo requeijão (300 g)
Sorvete *light*	1 copo pequeno (60 g)
Leite de soja (c/ cálcio)	1 copo requeijão (200 g)
Leite de soja *light* (c/ cálcio)	2 copos requeijão (400 g)

Grupo gordura (40 cal.)

Alimento	Porção
Creme de leite	1 colher de sopa (15 g)
Margarina tipo Becel	2 colheres de chá (10 g)
Maionese *light*	1 colher de chá (10 g)
Manteiga	1 colher de chá (5 e 6 g)
Óleos vegetais	2 colheres de chá (5 g)
Castanhas	4 unidades (10 g)

Grupo frutas (60 cal.)

Alimento	Porção
Abacaxi	1 fatia média (150 g)
Ameixa	3 unidades médias (140 g)
Amora	1 xícara (120 g)
Banana	1 unidade média (70 g)
Caqui	0,5 unidade média (60 g)
Cerejas	12 unidades médias (90 g)
Coco (água)	2 copos americanos (300 ml)
Figo	2 unidades pequenas (100 g)
Fruta do conde	0,5 unidade (60 g)
Goiaba	0,5 unidade média (90 g)
Jaboticaba	25 unidades (125 g)
Kiwi	1,5 unidade média (100 g)
Laranja	1 unidade média (160 g)
Maçã	1 unidade pequena (120 g)
Mamão	0,5 unidade média (170 g)
Manga	0,5 unidade média (100 g)
Maracujá	2 unidades (80 g)
Melancia	1 fatia grossa (300 g)
Melão	2 fatias médias (200 g)
Mexerica	1 unidade média (150 g)
Morango	2 unidades médias (200 g)
Nectarina	2 unidades médias (150 g)
Pêra	1 unidade média (100 g)
Pêssego	2 unidades pequenas (150 g)
Suco *light* tipo Valle	2 latas (700 ml)
Sucos naturais	0,5 copo (150 ml)
Uva rosada	1 cacho pequeno (100 g)
Uva itália	11 unidades (100 g)

Grupo hortaliças (à vontade)

Abóbora, abobrinha, acelga, agrião, aipo, alcachofra, alface, alfafa, almeirão, aspargo, berinjela, beterraba, brócolis, cenoura, chicória, chuchu, cogumelo, couve-flor, erva-doce, ervilha-torta, escarola, espinafre, folha de mostarda, *funghi moyashi*, nabo, palmito, pepino, pimentão, quiabo, rabanete, *radicchio*, repolho, rúcula, salsão, *shimeji*, *shitake*, tomate, vagem.

Obs.: Utilize à vontade: vinagre, aceto balsâmico, mostarda, limão e ervas como tempero. Utilize moderadamente: sal, molho inglês e molho de soja.

Cardápio para 1.500 cal.

(15% prot., 15% lip., 70% carboid.)

Café-da-manhã

2 porções grupo cereais/leguminosas
0,5 porção grupo leite
1 porção grupo fruta
1 porção grupo gordura

Lanche da manhã

1 porção grupo cereais/leguminosas
1 porção grupo fruta

Almoço

1 porção grupo hortaliças – à vontade
1 porção grupo gordura
3 porções grupo cereais/leguminosas
1 porção grupo carne/queijo
1 porção grupo fruta

Lanche da tarde

2 porções grupo cereais/leguminosas

Jantar

1 porção grupo hortaliças – à vontade
1 porção grupo gordura
2 porções grupo cereais/leguminosas

Ceia

1 porção grupo fruta

Essas informações são genéricas. A ingestão correta para sua necessidade nutricional deve ser estabelecida por um nutricionista que avalie efetivamente sua necessidade.

Cardápio para 2.000 cal.

(15% prot., 15% lip., 70% carboid.)

Café-da-manhã

4,5 porções grupo cereais/leguminosas
1 porção grupo leite
1 porção grupo fruta
1 porção grupo gordura

Lanche da manhã

1 porção grupo cereais/leguminosas
1 porção grupo fruta

Almoço

1 porção grupo hortaliças – à vontade
1,5 porção grupo gordura
3 porções grupo cereais/leguminosas
1 porção grupo carne/queijo
2 porções grupo fruta

Lanche da tarde

2 porções grupo cereais/leguminosas

Jantar

1 porção grupo hortaliças – à vontade
1,5 porção grupo gordura
2 porções grupo cereais/leguminosas

Ceia

1 porção grupo cereal/leguminosas
0,5 porção grupo leite

Cardápio para 2.500 cal.

(15% prot., 15% lip., 70% carboid.)

Café-da-manhã

3 porções grupo cereais/leguminosas
3,5 porções grupo fruta
0,5 porção grupo leite

Lanche da manhã

3,5 porções grupo cereais/leguminosas

Almoço

1 porção grupo hortaliças – à vontade
2 porções grupo gordura
3 porções grupo cereais/leguminosas
2 porções grupo carne/queijo
1 porção grupo fruta

Lanche da tarde

1 porção grupo cereais/leguminosas
40 g maltodextrina (antes do treino)
2 porções grupo cereais/leguminosas

Jantar

1 porção grupo hortaliças – à vontade
2 porções grupo gordura
4 porções grupo cereais/leguminosas
2 porções grupo carne/queijo

Ceia

1 porção grupo fruta
0,5 porção grupo leite (Ex: Ades tradicional 125 ml)

CONTROLE DE *STRESS*

Diminua a tensão

É muito difícil aconselhar sobre esse tema, porque controlar o *stress* requer consciência do que nos faz sair do sério. Muitas dessas coisas não estão sob nosso controle. Contudo, aprendi que boa parte das atitudes está. Para levar a vida com mais leveza é preciso antes de mais nada ser organizado, disciplinado e realista em relação às dimensões das tarefas que nos impomos diariamente. Selecionei alguns conselhos básicos que podem ajudar. São conclusões simples e fáceis de serem aplicadas no dia-a-dia.

15 DICAS PARA CONTROLAR O *STRESS*

- → Encare a vida de forma positiva. Pelo sim ou pelo não, fique com o bem-estar de pensar sempre no melhor.
- → Irrite-se apenas com coisas realmente importantes.
- → Estabeleça prioridades e organize sua agenda de acordo com elas.
- → Encontro com amigos, passeios com o filho, cinema com a companheira ou o companheiro são importantes e merecem ser anotados na agenda.
- → Aprenda a dizer não.
- → Faça uma agenda com intervalos de tempo entre uma tarefa e outra, prevendo momentos para retornar ligações, dar uma respirada e responder *e-mails*.
- → Coloque na agenda o tempo real que gastará no trânsito para ir de um lugar ao outro.
- → Seja rápido e objetivo nas conversas telefônicas.
- → Tenha o celular à mão e saiba desligá-lo em momentos pessoais.
- → Tenha disciplina para executar tudo o que programou para o dia, a semana e o mês.
- → Organize sua agenda apontando os compromissos com a maior antecedência possível.
- → Tenha flexibilidade para alterar os planos de acordo com os acontecimentos de última hora e clareza para substituir algo importante por algo urgente.
- → Delegue.
- → Reserve meia hora no domingo à noite para organizar sua agenda da semana. Segundo especialistas, ao repetir esse ato por 21 domingos seguidos, ele se torna um hábito.
- → Não entupa a agenda com compromissos que você não conseguirá cumprir. Seja realista: numa caixa de seis, só cabem seis.

ESPIRITUALIDADE E FÉ

Pensamento forte em Deus

Relutei em publicar este programa espiritual. Um dos motivos foi o fato de não ter conseguido descobrir os seus autores para lhes dar o devido crédito. Mas, depois de passá-lo a amigos e pessoas ao meu redor, me dei conta do bem que ele andava fazendo a quem o executava. Ele não opera milagres, mas dá segurança, foco, alívio e força mental a quem o utiliza com fé. O programa tem fundamentos no cristianismo e também se compõe de frases e ensinamentos de psicólogos, pensadores e cientistas. Acredito que sua função primordial é a de disciplinar seus seguidores a dedicar um momento do dia à espiritualidade, à fé e a ideais superiores. A paz que este programa gera é impressionante. Seus efeitos positivos na busca da realização dos nossos desejos mais honestos também são surpreendentes, impossíveis de serem desprezados. Por isso, não poderia me furtar de passá-lo adiante. Espero que ele faça a você o bem que tem feito a mim.

Programa espiritual

1. Você agora vai conhecer um poderoso programa espiritual. Recebeu este nome porque contém 63 afirmativas que deverão ser feitas durante nove semanas seguidas. Essas afirmativas podem transformar qualquer situação aflitiva em vitória pessoal para você. Peritos espirituais afirmam: se você fizer essas afirmativas durante nove semanas ininterruptas, no final, já terá alcançado a graça almejada.

2. Atenção! Importante:

   Não ponha em dúvida os conceitos aqui apresentados. Há em nosso espírito todos os recursos de que necessitamos para a solução de nossos problemas. As idéias estão presentes em nosso inconsciente e, quando libertadas pela força da oração, podem conduzir-nos ao êxito de qualquer projeto.

3. Para receber as graças que almeja, faça três coisas:

   3.1 Pergunte a si mesmo: "O que desejo é justo?" Se puder responder a essa pergunta afirmativamente, faça então a Deus a seguinte oração:

"Senhor, Tu podes todas as coisas, Tu podes conceder-me a graça que tanto almejo: cria, Senhor, as possibilidades para a realização de meu desejo. Em nome de Jesus, amém!"

3.2 Imagine depois firmemente que seu desejo vai se materializar. Crie, mentalmente, a imagem de seu desejo realizado.

3.3 Coloque nas mãos de Deus essa questão e siga as orientações do Todo-Poderoso. Pratique a crença e continue a sustentar no pensamento o que idealizou. Faça isso e ficará surpreso com os caminhos estranhos por meio dos quais se materializará seu ideal.

Observação:

A oração contida no item 3.1 deverá ser repetida diariamente, várias vezes, tantas quanto forem possíveis repetir. Aproveite todos os momentos disponíveis para fazê-la. Concentre-se por alguns segundos e repita com fé.

Instruções:

Nas páginas seguintes, você tomará conhecimento do programa espiritual que deverá desenvolver. Leia todas as afirmativas de uma vez para gravar seu conteúdo no espírito.

Depois, começando por um domingo:

→ leia uma de cada vez;

→ procure memorizar o que leu;

→ durante todo o dia repita a afirmativa a fim de gravá-la no espírito;

→ afirme depois que acredita na veracidade de suas palavras.

Para rezar todos os dias de manhã

Senhor, no silêncio deste dia que amanhece, venho pedir-te a paz, a sabedoria, a força.
Quero ver hoje o mundo com os olhos cheios de amor, ser paciente, compreensivo, manso e prudente.
Ver além das aparências Teus filhos como Tu mesmo os vês e, assim, não ver senão o bem em cada um.
Cerra meus ouvidos a toda a calúnia.
Guarda minha língua de toda maldade.
Que só de bênção se encha meu espírito.
Que todos os que a mim se achegarem sintam a Tua presença.
Reveste-me de Tua beleza, Senhor, e que no decurso deste dia eu Te revele a todos.

Senhor, Tu podes todas as coisas.
Tu podes conceder-me a Graça que tanto almejo.
Cria, Senhor, as possibilidades para a realização de meu desejo.
Em nome de Jesus, amém!

As sete primeiras afirmativas foram feitas por Jesus. São as mais sábias e verdadeiras até hoje pronunciadas. Não duvide delas.

1º DIA – DOMINGO
Se pedires, Deus te dará. Se buscares, Deus te fará encontrar. Se bateres, Deus te abrirá a porta. Pois tudo o que pedes, recebes de Deus. O que buscas, encontras em Deus, e a quem bate, Deus abrirá todas as portas.

2º DIA – SEGUNDA-FEIRA
Em verdade vos digo, se dois dentre vós sobre a terra concordarem a respeito de qualquer coisa que desejardes pedir, isso será concedido por Meu Pai que está nos Céus. Porque, onde estiverem dois ou três reunidos em Meu nome, ali estou Eu no meio deles.

3º DIA – TERÇA-FEIRA
Por isso, vos digo que tudo quanto pedires em oração, crede que receberás, e assim será para convosco.

4º DIA – QUARTA-FEIRA
Se tiveres fé, cumpre saber que tudo é possível àquele que a tem.

5º DIA – QUINTA-FEIRA
Não te disse Eu que, se creres, tu verás a glória de Deus?

6º DIA – SEXTA-FEIRA
Tudo quanto pedires em Meu nome Eu o farei. A fim de que o Pai seja glorificado através do Filho. Por isso repito: se pedires alguma coisa em Meu nome Eu o farei.

7º DIA – SÁBADO
Se vós estiverdes em Mim e as Minhas palavras estiverem em vós, pedireis o que quiserdes e vos será concedido.

Observação: Fim da 1ª semana: Agradeça a Deus pelas palavras orientadoras, confortadoras e inspiradoras de Cristo. Releia Suas palavras mais uma vez antes que o dia termine.

As sete afirmativas seguintes foram feitas pelos apóstolos de Cristo, aqueles que conviveram com Ele e d'Ele receberam a missão espiritual. Não duvide de suas palavras, elas são profundamente verdadeiras.

8º DIA – DOMINGO

E esta é a confiança que temos n'Ele, que se pedirmos alguma coisa segundo a Sua vontade, Ele nos atenderá. (São João)

9º DIA – SEGUNDA-FEIRA

Se, porém, algum dentre vós necessita de alguma coisa, peça a Deus, que a todos dá liberalmente e nada nos nega, e lhe será concedido. Peça, porém, com fé de nada duvidando. Não duvide que conseguirá de Deus alguma coisa. (São Tiago)

10º DIA – TERÇA-FEIRA

Se Deus estiver conosco, quem poderá estar contra nós? (São Paulo)

11º DIA – QUARTA-FEIRA

Posso vencer todas as coisas pelo poder de Cristo. Ele me dará forças. (São Paulo)

12º DIA – QUINTA-FEIRA

Mas eu sei bem em que creio e estou bem certo de que Ele é poderoso para guardar o meu tesouro até o dia apropriado de me entregar. (São Paulo)

13º DIA – SEXTA-FEIRA

Os olhos não viram, os ouvidos não ouviram, nem jamais penetraram no coração dos homens as bênçãos que Deus tem preparado para aqueles que O amam. (São Paulo)

14º DIA – SÁBADO

Porque tudo aquilo que é gerado por Deus vence o mundo, e esta é a vitória que vence o mundo: a nossa fé. (São Paulo)

As afirmativas seguintes foram feitas por teólogos, psicólogos ou pessoas que passaram por profunda experiência espiritual. Não duvide delas, pois têm o poder de abrir seu espírito para Deus, por meio da fé.

15º DIA – DOMINGO

Ao iniciarmos um empreendimento duvidoso, nossa fé é a única coisa – compreenda bem isso –, é a única que assegura seu bom êxito.

16º DIA – SEGUNDA-FEIRA

Todo problema pode ser solucionado de maneira acertada se fizermos orações afirmativas. As orações afirmativas libertam as forças por intermédio das quais se conseguem os resultados.

17º DIA – TERÇA-FEIRA

Quando estiver fazendo sua oração, é importante lembrar que você está tratando com a maior força existente no Universo. A força que criou o próprio Universo - Deus; Ele pode criar os caminhos para a realização de seus desejos.

18º DIA – QUARTA-FEIRA

O poder da oração é a manifestação da energia. Assim como existem técnicas científicas para a libertação da energia atômica, existem também processos científicos para a libertação da energia espiritual, por meio do mecanismo da oração. Esta afirmativa é uma delas.

19º DIA – QUINTA-FEIRA

A capacidade de possuir e utilizar a fé e de conseguir a libertação da força espiritual que ela proporciona é uma habilidade que, como qualquer outra, deve ser estudada e praticada a fim de se chegar à perfeição.

20º DIA – SEXTA-FEIRA

As atitudes são mais importantes que os fatos. Qualquer fato que enfrentamos, por mais penoso que seja, mesmo que pareça irremediável, não será tão importante como nossas atitudes para com Ele. Por outro lado, a oração e a fé podem modificar ou dominar inteiramente um fato.

21º DIA – SÁBADO

Faça uma lista mental dos valores positivos que você possui. Quando encaramos mentalmente esses valores e pensamos firmemente, realçando-os ao máximo, as nossas forças interiores começam a firmar-se e, com o auxílio de Deus, tiram-nos da derrota para conduzir-nos à vitória.

Observação: Fim da 3ª semana. Você já percorreu um terço deste programa. Agradeça a Deus por isso. Releia as afirmativas anteriores e renove seus propósitos de não interromper essa atitude de reavivamento espiritual.

22º DIA – DOMINGO

Conceba Deus como estando do seu lado no trabalho, em casa, na rua, no automóvel, sempre perto, como um companheiro muito íntimo. Leve a sério o conselho de Cristo "ore sem cessar", falando com Deus de maneira natural e espontânea. Deus o compreenderá.

23º DIA – SEGUNDA-FEIRA

O valor básico na física é a força, o fator básico na psicologia é o desejo realizável. A pessoa que pressupõe o êxito tende a possuí-lo.

24º DIA – TERÇA-FEIRA

Não alimente pensamentos negativos durante suas orações. Somente os positivos é que dão resultados.

Afirme agora: Deus está comigo. Deus está me ouvindo. Ele está providenciando a resposta certa para o pedido que Lhe fiz.

25º DIA – QUARTA-FEIRA

Aprenda hoje a magia da crença no espírito, tendo somente pensamentos positivos. Modifique seus hábitos mentais para crer em vez de descrer. Aprenda a esperar e não a duvidar. Procedendo assim, trará a graça que almeja para o reino das possibilidades.

26º DIA – QUINTA-FEIRA

A pessoa que confia em Deus e em si, que é positiva, cultiva o otimismo e que se entrega a uma tarefa com a certeza de que será coroada de êxito, magnetiza a sua condição. Atrai para si as forças criadoras no Universo.

27º DIA – SEXTA-FEIRA

Há uma profunda tendência para alcançar o que se imagina e que se conserva gravado no espírito, mas é preciso que o nosso objetivo seja justo. Por isso, afaste do pensamento as idéias ruins. Nunca aceite que o pior poderá acontecer. Espere sempre o melhor e o criador espiritual do pensamento, auxiliado por Deus, há de dar-lhe o melhor.

28º DIA – SÁBADO

O poder faz maravilhas. Você poderá conseguir as coisas mais extraordinárias pelo poder da fé. Por isso, quando pedir a Deus alguma graça, não alimente dúvidas em seu coração por mais difícil que ela seja de ser alcançada. Lembre-se de que o poder faz maravilhas.

Observação: Fim da 4ª semana. Você já notou a diferença que essas afirmativas estão operando em você? Agradeça a Deus por isso e peça-Lhe que continue aperfeiçoando-o cada vez mais.

29º DIA – DOMINGO

Lembre sempre: A dúvida veda o caminho para a força, a fé abre esse caminho. O poder da fé é tão grande que nada há que Deus não possa fazer por nós, conosco, ou por meio de nós, se permitirmos que Ele canalize a Sua força através de nosso espírito.

30º DIA – SEGUNDA-FEIRA

Repita durante várias vezes hoje estas 3 afirmativas:

1. Acredito que Deus está libertando as forças que me darão o que eu desejo.
2. Acredito que estou sendo ouvido por Deus.
3. Acredito que Deus abrirá sempre um caminho onde não existe caminho.

31º DIA – TERÇA-FEIRA

O temor é o grande inimigo aniquilador da personalidade humana e a preocupação é a mais sutil e a mais destruidora de todas as doenças humanas. Entregue agora os seus temores e suas preocupações a Deus Todo-Poderoso. Ele sabe o que fazer com eles.

32º DIA – QUARTA-FEIRA

Cristo disse: "Se tiveres fé, mesmo que ela seja do tamanho de um grão de mostarda, nada será impossível". A Bíblia fala da fé de modo absoluto, real e verdadeiro. A fé não é uma ilusão nem uma metáfora. Ela é um fato absoluto.

33º DIA – QUINTA-FEIRA

Ter fé não é fazer força para crer. É passar do esforço para a confiança. É mudar a base da sua vida, passando a basear-se em Deus, e não em você apenas.

34º DIA – SEXTA-FEIRA

Diz um ditado popular que devemos ver para depois crer. Cristo nos ensina, porém, o contrário. Diz Ele que devemos crer para depois ver, isto é, se tivermos fé e sustentarmos na imaginação a realização do que desejamos, brevemente esse desejo se materializará. Assim, basta crer para ver.

35º DIA – SÁBADO

A fé traz os acontecimentos do futuro para o presente. Mas, se Deus demora em atender, é porque Ele tem um propósito: fazer endurecer mais nossa fibra espiritual por meio da espera ou então Ele se demora a fazer um milagre maior. Suas demoras são sempre propositadas.

Observação: Fim da 5ª semana. Você passou da metade deste programa. Agora agradeça a Deus por isso e renove seu propósito de não interrompê-lo.

36º DIA – DOMINGO

Mantenha sempre a calma. A tensão impede o fluxo da força do pensamento. Seu cérebro não pode funcionar eficientemente sob tensão nervosa. Enfrente tranqüilamente seus problemas. Não tente forçar uma resposta. Mantenha o espírito tranqüilo e a solução de seus problemas aparecerá serenamente.

37º DIA – SEGUNDA-FEIRA

A medicina tem progredido muito, mas ainda não descobriu nenhum remédio ou vacina para nos liberar de nossos próprios temores ou conflitos emotivos. Uma compreensão melhor de nosso íntimo e o desenvolvimento da fé em nosso espírito parecem formar a combinação perfeita para um auxílio divino e permanente a qualquer um de nós.

38º DIA – TERÇA-FEIRA

Lembre-se de que as afirmativas divinas são verdadeiras leis. Lembre-se também de que as leis espirituais governam todas as coisas. Deus disse através de Cristo: "Se tens fé, cumpre saberes que tudo é possível àquele que a tem". Essa afirmação é uma lei divina imutável.

39º DIA – QUARTA-FEIRA

Não faça somente pedidos quando orar, afirme também que lhe estão sendo dadas muitas bênçãos e agradeça por elas. Faça uma oração em intenção de alguém com quem não simpatize ou que o tenha tratado mal. Perdoe depois essa pessoa. O ressentimento é barreira número um da força espiritual.

40º DIA – QUINTA-FEIRA

Manifeste sempre sua aquiescência em aceitar a vontade de Deus. Peça o que quiser, mas esteja pronto a aceitar o que Deus lhe der. Talvez seja melhor do que aquilo que você pediu.

41º DIA – SEXTA-FEIRA

No ano 700 a. C. um profeta israelense disse: "Não o soubeste? Não ouviste ainda que o eterno Deus, o Senhor, o Criador de todas as coisas, não desfalece, não cansa, nem dorme? A sua compreensão é poderosa. Ele dá força aos fracos e renova a resistência dos que O buscam".

42º DIA – SÁBADO

Há um Poder Supremo e esse Poder pode fazer tudo por você. Não tente vencer seus problemas sozinho. Recorra a Ele e usufrua de Seu auxílio. Se você se sente desgastado, pode recorrer a Ele. Apresente-Lhe, pois, o seu problema e peça uma resposta específica. Ele lhe dará.

43º DIA – DOMINGO

Diga hoje, várias vezes: a concretização do que almejo não depende de minha habilidade, mas da fé que depositar na habilidade de Deus, que tudo pode.

44º DIA – SEGUNDA-FEIRA

Faça agora a seguinte oração: "Coloco, no dia de hoje, a minha vida, os meus entes queridos e o meu trabalho nas mãos de Deus e só pode advir o bem. Sejam quais forem os resultados deste dia, ele está nas mãos de Deus, de onde somente pode advir o bem."

45º DIA – TERÇA-FEIRA

Vá hoje um pouco além da fé, ponha em prática a idéia da presença de Deus. Creia sempre que Deus é tão real e presente como qualquer pessoa que convive com você. Creia que as soluções que Ele apresenta para seus problemas não têm erros. Creia que você será guiado em suas ações de conformidade com a verdade no resultado certo.

46º DIA – QUARTA-FEIRA

Diga hoje: "Sei que vou conseguir o que desejo, sei que vou vencer todas as minhas dificuldades, sei que possuo em mim todas as forças criadoras para enfrentar qualquer situação, pairar acima de qualquer derrota, resolver todos os problemas embaraçados que por acaso haja em minha vida. Essas forças vêm de Deus".

47º DIA – QUINTA-FEIRA

Aprenda hoje um fator importante: seja qual for a situação que estiver enfrentando, não fique tenso, relaxe os nervos, mantenha-se calmo, assuma uma atitude amiga, tenha fé e dê de si o melhor, apodere-se assim da paz de Cristo. Ele disse: "Deixo-vos a paz, eu vos dou a Minha paz, não se turve o vosso coração nem vos atemorize".

48º DIA – SEXTA-FEIRA

Jesus disse: "Vinde a mim todos vós que estais cansados e sobrecarregados e Eu vos aliviarei. Aprendei comigo a humildade e a mansidão do espírito e encontrareis conforto para os vossos corações". Dirija-se a Ele hoje.

49º DIA – SÁBADO

Se você tem alguma amargura, o remédio mais acertado para ela é o conforto salutar que advém da fé em Deus. Inegavelmente, a receita básica para sua amargura é entregar-se confiantemente a Deus e dizer a Ele o que lhe oprime o coração. Ele há de drená-la de seu espírito e a fará desaparecer completamente depois.

50º DIA – DOMINGO

Um famoso trapezista estava tentando encorajar um aluno a fazer acrobacias no alto de um trapézio de um circo, mas o rapaz não conseguia, pois o medo de cair não o deixava. Foi então que o professor lhe disse uma das mais extraordinárias frases: "Rapaz, lance seu coração sobre a barra que seu corpo acompanhará. O coração é símbolo da atividade criadora. Lance seu coração sobre a barra". Quer dizer: lance a fé sobre as dificuldades, em outras, lance a essência espiritual de seu ser sobre os obstáculos que sua parte material o acompanhará. Então, você há de ver que os obstáculos não tinham tanta resistência assim.

51º DIA – SEGUNDA-FEIRA

De duas coisas você já pode estar certo:

1. Qualquer experiência que nos tortura a alma traz a oportunidade de crescermos com ela.
2. A maior parte dos transtornos desta vida está dentro de nós mesmos; felizmente a solução para eles também está ali, pois o mistério bendito, Deus, também pode habitar dentro de nós.

52º DIA – TERÇA-FEIRA

Apodere-se hoje de otimismo, que é pensamento positivo iluminado. Quando nossa mente está cheia de otimismo, nossas forças naturais recriadoras são estimadas por Deus. O otimismo tem seus alicerces firmados na fé, na expectativa e na esperança. Esteja confiante de que existe uma solução certa para todos os problemas.

53º DIA – QUARTA-FEIRA

Ter problemas não é tão desesperador assim. Desesperador é não ter coragem de lutar contra eles. Homens fortes, homens criadores que realizam grandes obras, acham que os problemas são para a mente, como os exercícios são para os músculos, que desenvolvem nela a resistência necessária a uma vida construtiva e feliz.

Agradeça hoje a Deus pelos problemas que você já conseguiu vencer com sua coragem e determinação.

54º DIA – QUINTA-FEIRA

Não fique preso às suas desilusões do passado. Não permita que elas lhe entristeçam o presente, nem lhe atrapalhem o futuro. Diga como um célebre filósofo: "Não vou me preocupar com o passado, vou apenas pensar no futuro, pois é nele que eu pretendo passar o resto da minha vida".

55º DIA – SEXTA-FEIRA

Se pretende que suas energias sejam renovadas, deve saber o seguinte: toda energia nova procederá realmente da vitalidade espiritual que receberá quando entregar sua vida a Deus, quando aprender a viver na companhia de Deus e a falar com Ele de maneira natural e espontânea. Em tais circunstâncias, a oração tem mostrado ser a mais poderosa força reativadora do estímulo e da renovação das energias.

56º DIA – SÁBADO

Muita gente que não tinha o costume de orar passou a fazê-lo porque descobriu que a oração não é exercício místico, visionário e piegas. Essa gente descobriu que a oração pode ser um método prático e científico para estimular a mente e a capacidade criadora. Realmente a oração descobriu o canal espiritual que liga o nosso espírito ao Espírito de Deus. Sua graça então pode fluir livremente para nós.

57º DIA – DOMINGO
De uma coisa pode ter certeza: jamais conseguirá resultados do coração se não orar. Você jamais aumentará sua fé se não desenvolvê-la e exercitá-la pela oração. Oração, paciência e fé são os três fatores primordiais de uma vida vitoriosa. Deus ouvirá suas preces.

58º DIA – SEGUNDA-FEIRA
Disse Deus, por intermédio de um profeta: "Buscar-me-eis e Me achareis no dia que Me buscardes de todo o vosso coração".
Deus será encontrado no dia em que O buscarmos de todo o nosso coração. Isso é tão verdadeiro quanto a presença do sol na Terra. Deus impulsionou as forças que impulsionaram a concretização de seus pedidos.

59º DIA – TERÇA-FEIRA
Conquistar a Deus não se faz às pressas. Permanecer muito tempo com Deus é o segredo para conhecê-Lo e fortalecer-se n'Ele. Deus cede à persistência de uma fé que não cansa. Cede às mais ricas graças aqueles que provam seu desejo por elas pela consciência de suas orações. Deus criou um caminho onde não existia caminho.

60º DIA – QUARTA-FEIRA
Não se preocupe em pensar que está importunando Deus com seus pedidos constantes. A importunação é a essência da oração eficiente. Importunação não significa repetição incoerente, mas é um trabalho sustentado com esforço diante de Deus. O poder da fé faz maravilhas.

61º DIA – QUINTA-FEIRA
A oração da inteligência traz sabedoria, alarga e fortalece a mente. O pensamento não é só iluminado na oração, mas o pensamento criador nasce na oração. Podemos aprender a criar muito mais depois de dez minutos de oração do que muitas horas de escola. Você pediu, Deus lhe deu. Você buscou, Deus o fez encontrar.

62º DIA – SEXTA-FEIRA
Deus tudo faz por nós em resposta às nossas orações. Todas as pessoas que conseguiram realizar na vida coisas consideradas extraordinárias são unânimes em afirmar que colocaram a oração em primeiro lugar nos seus esforços, que deram ênfase à oração, que se entregaram a ela, tornando-a uma verdadeira tarefa; sujeitaram-se a ela, dando-lhe fervor, urgência, perseverança e tempo. Deus disse que, se tu cresses, tu verias a glória de Deus.

63º DIA – SÁBADO
Em qualquer situação da vida, orar é a maior coisa que podemos fazer e, para fazer bem, deve haver quietude, tempo e deliberação. Deve haver também em nós o desejo de vencer os obstáculos por meio da oração. O impossível reside nas mãos inertes daqueles que não tentam. Lembre-se agora das palavras de Jesus: "Se tens fé, cumpre saberes que tudo é possível àquele que a tem".

Conclusão

Você acaba de cumprir um poderoso programa espiritual. Recebeu de Deus, por intermédio d'Ele, a graça que pediu e muitas outras que não pediu. Percebeu e constatou que as afirmativas aqui registradas são cheias de poder. Acredite agora que a força que criou o Universo continua criando inúmeras coisas e criou também as possibilidades para que seu pedido se materializasse. Agora você sabe que as orações e afirmativas libertam as forças por intermédio das quais se conseguem resultados.

Não abandone esses hábitos agora. Reconheça: você ainda tem muito para receber.

EU DOU GRAÇAS A DEUS POR TANTAS GRAÇAS RECEBIDAS

Senhor,
No silêncio desta noite que se cala venho pedir-Te a paz, a serenidade e o aconchego.
Quero sonhar hoje com um mundo muito melhor. Ter a clareza de enxergar como será possível alcançar justiça entre Teus filhos e me refazer a ponto de conseguir criar soluções para diminuir as diferenças entre Teus filhos. Me alimentar com Tua graça, Tua energia, Tua sabedoria.
Quero acordar amanhã com energia e saúde para fazer a minha parte e paciência para esperar pela parte que o Senhor vai me dar!
Amém.

Sistema CTcP,
impressão e acabamento
executados no parque gráfico da
Editora Santuário
www.redemptor.com.br - Aparecida-SP